猫橋序文

とにかく私は、勇気を奮って書いて見よう。ただ小説家でない私は、脚色や趣向によって、読者を興がらせる術を知らない。私の為し得ることは、ただ自分の経験した事実だけを、報告の記事に書くだけである。

――萩原朔太郎

例えば、自分の一番近くにいるような知人ほど、良くわからない部分が多いという事がある。わたしにひとりの友人がいる。彼とはもう、数十年来の付き合いである。同じく東北の出身で、同じく煮えきらない性格で、同じく今日苦戦中である。

彼は「はなしか」と云う、奇妙かつ珍妙な稼業をしていて、このところ「二つ目」と云うものになって、ようやくひとつめ小僧を放免されて、少しは人間らしくなっているようだけれども、彼は、それでもどうやら、いつもなにやら悩ましげで、卑屈で、かわいくない。ノラ猫だって、もう少し愛敬がありそうなものである。

そんな彼に対して、隙を見て小言でも言おうものなら、「吾輩ハ鹿デアル」からなどと、つまらない戯言を呈し、続いて彼もわたしに対しての不服を並べ立て、また喧嘩口論になる。わたしはもう彼の事などは構わないでおこうと思うし、彼はもうわたしの事などは考えたくもないという。

このふたりはどうやら、お互いにどこか似ている性質であるために、仲違いもするようである。

以前までは、それぞれ気にかけていなかったので、それぞれが真面目に考えるようなこともなく、茫然と認め合ったりもしていたが、この頃はどうしても同じ場にいなくてはならないことも多くなったために、それが友人関係の悪化の一誘因と思われる。お互いがお互いを肯定せず、顔を合わせては、お前は辞めた方がいい、お前こそ辞めるべきだと、お互いにお互いの弱点を罵倒し、あげ足を取り合い、ときには取っ組み合いにもなるので、これには周りも手がつけられない。

そのような具合であったから、とうとうわたしは、彼との交流におけるその一部分を訣別し、接近を控えることにした。

このふたりの不仲を近くで見ていて、ご心配をしてくださり、ふたりでなにか同じ作業をやった方が良い、もしよろしいなら、年に一度ほどの少部数冊子ならば、うちから出すこともできる、それが一番の解決策だろう——そんな提案をしてくださった、奇特かつ珍稀な出版社があって、このブック・カフェも兼ねている本屋のみなさまには、ふたりとも気兼ねなく、またふたりとも開襟して手なづけられていることもあって、こうしていても、きっとどちらかが辞めてしまうか、一切を絶交してしまうオチも見えているので、彼にも賛成と承諾を得たうえで、わたしと彼による「共同編集誌」という形で、このたびこのような雑誌が誕生したという次第である。

⁂

彼は仕事柄、意地でもこのまま東京近郊に留まりたいらしく、今でも足立区舎人という東京なのか疑わしい土地に古いマンションを借りて住んでいるが、折しも、その頃のわたしはそろそろ帰郷したいと思っていた。もうこんな生活は終わりにして、懐かしい夏井川渓谷の流域の辺りか、むかし通った川内村の天山文庫の近くにでもちいさな小屋を建てて、そこで静かに物書きでもして暮らしたいと、一時期はそんな無茶なことをさえ考えていたのである。

しかし結論から言うと、わたしは故郷に帰るのを、先延ばしすることができたのであった。それもこれも、有難いことに、この本屋に出入りする方々が、こうして小さいながらも文筆の表現活動の場を与えて下さったからである。

わたしはこの創刊計画が決まってから、早速彼にその雑誌の名をどうしようか、相談を持ち掛けた。彼はその日、ちょうど足立区方面の自宅から自転車でこの本屋に珈琲を飲みに来ていたのであった。それならば、彼は、『猫橋』にしようと言った。その言い分は、こうである。

「君はむかし、ちっとも売れない同人誌をやっていたことを、僕は知っている。君は芸術を気取って、たいそう勇んでいたようだけれども、あれはひどかった。売れる売れない、そんなこと以前に、まったく認知すらされていなかったじゃあないか。あれで、現実を見ただろう。それからの君といえば、もっと滑稽で、身動きすらとれていない。首も回っていない。すっかり溺れているじゃあないか。わかっただろう。どうもがいても、君は売れない三文散文作家。だからこれからは、多くもの言わず、地に足をつけ、平身低頭するがいい。僕は迷い猫で、君は頼りない橋。僕が君の背中を軽業よろしく渡っていくので、君はただ向こう岸まで、流されないように横たわってくれたらそれでいい。そうすれば、お互いにいまみたいな貧困の景色ではなくて、もう少しましなところへ行けるかもしれない。」

こういうこじつけにつけては、饒舌なやつである。

わたしは彼の言い振りが癪に触ったが、まあ、生意気な芸人のいうことだ、本気でとらえるのはやめよう、そう思って、この雑誌の名まえについても、抵抗もせず唯々として飲み込むことにした。

⁂

しかし、あれからひと月ほど経つが、彼が決定した微妙かつ軽妙なこの誌名についても、わたしはいま考えれば考えるほどに、それほど悪くはないような気がしている。

猫橋――

わたしがこの字面をはじめ見たときに覚えたものは、いかにも非現実的な、反意語的な違和感であった。もちろんそれは、氷室のような言葉の地下にじゅうぶんに記憶されている『青猫』の詩人の先行作品の娥影のためでもあるが、相容れないものをひとつの世界に押し込めようとするには、故意にでも倒錯というわざを用いてみることは、案外正当な方法かもしれない。

思えば、噺家と作家とは、猫と橋ほど違うだろう。

ただ、その違和感を持ちながらも、桟橋を一歩一歩渡って行こうとすることは、できるはずである。だからこの雑誌名は、その無理があるという事と、それら違和感のそのものを、そのまま提示しているということになる。よってこの雑誌は、そのような方法を模索していくための場所である。猫の方は、できるだけ小さな身ぶりで、怪しまれることなくして、その手足を慎重に交叉させ。喬の方は、その軽やかな運動を、頑固に根差した四つ足で、できるだけ吸収するようにして。

猫という言葉は、その実体以上に、軽率で気まぐれのようである。どろぼう猫だとか、猫をかぶるだとか、悪名高く、濡れ衣をきせられ、当人はにゃんとも思っていないようだが、それでも爪で引っかかれるなどの被害をたびたび聞くことを鑑みると、やはり多少の恨みもあるらしいが、そんなこともあるからか、猫は、つねに、距離感を保ちながら、世間から逃げることをする。もちろんこれは言葉の舞台上の冗談であるが、まさしくこの雑誌によって、ふたりはあらゆる「逃げ」をも与えられたと思うのである。

わたしと彼は性質が似ていると書いたが、例えば彼が、わたしのように気障に構えたらどうだろう。たちまちそれは嫌悪感を生むだろう。もしくはわたしが、彼のようにだらしなく馬鹿笑いしたならばどうだろう。たちまちそれは非難にも繋がるだろう。もちろんそれは世間と言わず、往々にして自分に対して——であるが、それでもこうしてお互いの方法からお互いに距離をとることで、きっぱりとおれはあいつとは違うと言えるのである。おれはあいつではない、それはあいつのせいである——という、猫流の「逃げ」がなせるというわけである。

橋のイメージもまた、頼もしい印象と相応しい方針とを与える。仏語では、ポン、ただくちびるをほんのぬらすほど。それは寡黙であり、語るというよりも、語らせることをさせようとする。地道に時を経ることで、少しずつ人口に膾炙し、要不要を問われて、古びることでこそかえって生き生きとしてくる。その点それは、活字にも似ている。独語では、ブリュッケ、たおやかながらも力強く。それは堅固であり、風景を移動させるものではなく、むしろ風景の移動のために活用をされる手段である。優秀なのは、遠景そのものが時として美観であることであるが、尚も殊勝なのは、河川でも、渓谷でも、海峡でも、おおよそ交通的難所の克服を目標にしているということである。それは希望的であり、建築的である。

仲介の手続きを橋渡しというように、それは両者を行き来するためには必要な設備である。あるいはもう一つ次の段階へ、新しい陸地へ——という成長の意味合いも、自分の中にひそかに持つこともできる。だから『猫橋』という名はまた、ふたりの修業的、習作的立場を、的確に言い表していると言えるとも思うのである。


猫橋——

そして、これがおそらくいちばんの要点なのだが——それは川口市芝五丁目附近に、あくまでも「実在」する土地なのである。これは地名としてではなく、溝渠化した竪川に架かる橋の名で、交差点や店名になったりしているのだが、地元の人に猫橋の方の言うと、必ず通じる。いわば町の通り名のようなものになっていて、このたびお世話になる出版社も、このごく近くにある。

地元の人に聞き込みしたところ、この個性的な名の由来については、すこぶる謎が多いということであった。いつかまとめて発表したいと思っているが、いま手元にあるだけでも、複数の説と物語とがある。しかし、これでわたしは、ますますこの名が気に入ったのである。


猫と橋。この無理のありそうなものに対して、それも由緒も定かではないものに対して、「実際にそこに在る」ということを頼りにして、謎は謎のままふたりの揺さぶりを認めて、またそれが少しでも誰かに認められることを目標として、気軽に手に触れることのできる模索の場としての一地帯。

――彼が考えたにしては、なかなか良いコンセプトである。

わたしは先日、カフェに来ていた彼をつかまえて、早速賛辞を送った。

「君、このたびの君の当意即妙には感心した。わたしはかねがね、君のことを、のらくらもので、だらしない三流若手芸人としか思っていなかったけれども、『猫橋』とは、なかなか良く考えたものだ。見直したよ。まあ、一緒に、毎年出せるようにがんばろうじゃあないか。」

やや熱っぽく、そう言ったら、彼はこちらを驚いたようにじっと見たあとで、からかうようにぷっと吹き出し、なあに、べつに、考えるのが面倒だったから、その日自転車でふらりと舎人から蕨に来る途中に、おもしろいバス停の名まえがあったので、なんでもいいやと思って提案しただけさ。君は、本当に理屈っぽいやつ。まあ、そんなにがんばらず、気軽にやっていこうじゃあないか――

そう言って、そそくさとカフェから出て行ってしまった。

つくづく呑気なやつである。

＊＊＊

わたしは、学生時分、文芸の同人を組んでいた。それが彼が言うところの「売れない同人誌」であるが、なのでこの雑誌も、その要素を少しだけ引き継ぐことにもなるから、多く文芸誌の意味合いが強いが、もちろん彼も彼らしくひょっこりと顔を出すようである。よって特に明記していない文章については、すべてわたしの文章であって、それ以外のものが、彼のものということになる。

彼については、主に一年の活動報告や日々の記録、何やらこそこそと研究している「文芸落語」なる分野の考察などを載せていくようである。

さて、ここまできて、ようやく体裁が整ったわけであるが、わたしには、もうひとつだけ、気にかかることがあった。それは『猫橋』という名の出版物であるのに、猫のグラヴィアページや猫に関する考察が出てくるわけではないので、例えばその出版目録だけを見て注文した愛猫家が、誌面を広げてみて仰天し、なんだ猫どころか、時代遅れの活字が並ぶだけじゃあないかと、クレームでも入るのではないかという懸念である。

この点について、わたしはついこないだ、よくカフェに来る猫の専門家である名物編集者黒渕七黒氏に、相談をした。七黒氏は、ご自慢のカイゼル髭をぴんと指で鳴らして、「まあ、いいんじゃないか。猫要素がない、猫雑誌も。そんなことを言ったらね、お前さん、『ホトトギス』は鳥類図鑑になってしまうし、『歴程』は年譜資料になってしまうさ。気にすること勿れですな。まあ、幸い、この本屋に出入りしているお客にも、今回の企画はおおむね歓迎されているようだし、猫の要素がないならば、せめて猫橋周辺の諸相を、お前さんなりに入れ込んでみれば良いじゃあないか。まあ、精一杯にやってみ給え。吾輩も声援をしよう」と、肩を叩かれて、これでわたしの決心もかたまった。

肉球のお墨付きである。

令和三年　五月

齋藤圭介

齋藤圭介
林家彦三

猫橋 I

五月十三日の感情

汀日記

もしくは、言葉の砕

やむを得ないではない。やりかねない、でもない。仕方ない。いたしかたない。それに近い。

しかしまた、少し違う。やるせないではない。もちろん、どうしようもないわけでもない。

あらゆる言い回しが、適当ではないという気がするが、そのどれも言い得て妙というような感じもする。

自分でも、もろもろ自信のないうちに、それでもなにかしていかなければならないとは、あるいは、その状況の心とは、いわば、こんなものであって、べつにそれがむなしいというわけでもない。

もちろん、せわしいわけでもない。

(2020.5.13)

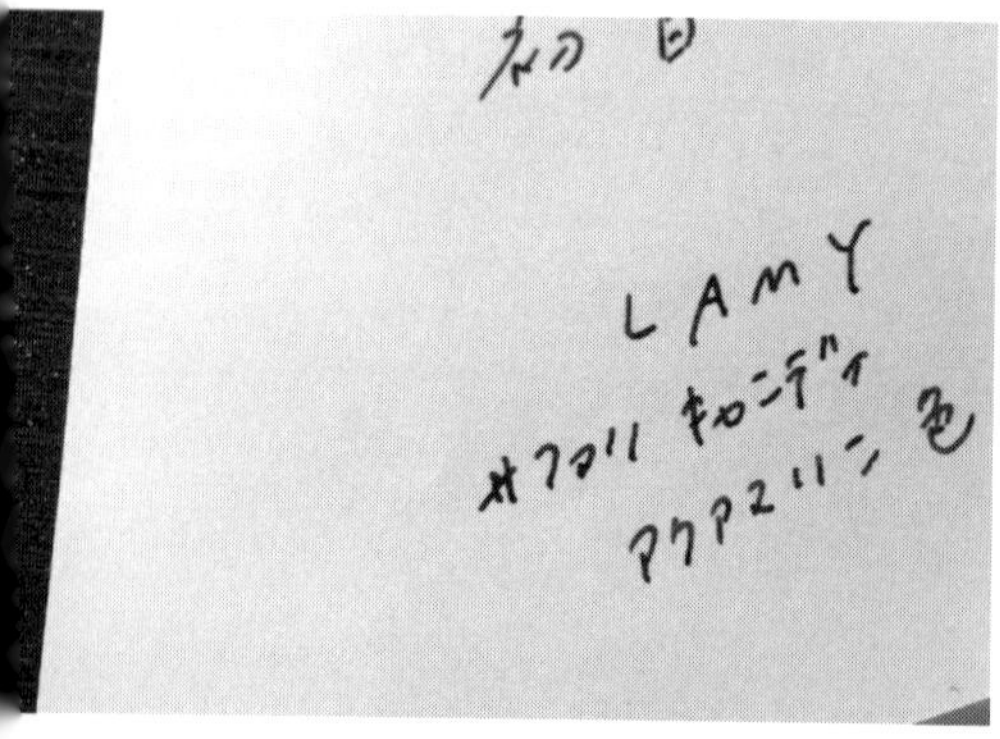

雨のあさくさ

「雨つづきですが、あめのあさくさも、なかなか、しっとりとしてきれいで[illegible]浅草は、あさくさで、雨にはあめの、良さ……。」

そんなメモを、書き付ける。いつもの喫茶店の、いつもの席にいるので、まるでいつもの浅草のようにも思える。しかし実際の浅草は、ひらがなで書きたいくらいの、あさくさ、であった。ゆるみきって、肩を落として、いつもの騒擾をひそめて、すっかり落ち着いてしまって、雨の中で、のんべんだらりと、腕まくらしてふて寝しながら、ゆったりと煙草でもふかしているような、そんな印象のあさくさであった。

浅草、あさくさ、浅草、あさくさ――漢字か、ひらがなか、くらいの、表記のちがいで、まったくべつもののような気がしてしまうが、それでもやっぱり変わらない。ただ、別の言い方を、さがしてみたところで、わたしの知っている浅草は、私のなかにあるしろもの。

「うごかない時計は、電池がきれているだけではない。そもそもが、ただの置物かもしれないのである。」

次には、どういうわけか、そんなメモを、書き付ける。久しぶりに、ここの珈琲を飲んだ。この苦味は、わたしの、浅草の苦みとなって舌先に記憶されているので、これはうれしい苦みなのであった。むかしの浅草に関するエッセイを、二つ三つ読む。それからおもいでにたばこを一本、燻らす。カランコロンと店を出る。

まちは、時計とちがって、うごかない――ということはないだろう。いくら停滞していたところで、

それなりの呼吸をしている。経年だけではない、それなりの運動をしている。つまりは生きている。それが一番、はやい言い方である。

もしくはこの災禍が、恵みとはいえない雨があがって、かつての浅草が戻ってくる日も、もうそこまできているのかもしれないけれども、実際にはそれよりずっと以前から、その過刻の波は寄せては引いていたのかもしれない。——帰りみち、すっかりと簡易式コインパーキングになってしまった霧雨の中のアンヂュラス跡地を見ながら、そんなことも思った。

あさくさ、浅草、あめ、雨、ふる、へる、降る、経る、あさくさ、浅草——そんな、こまやかな粒子がいつまでもひとつにまとまらず、しっとりと視界を濡らして、それによって頭の中も真っ白くなっていくような気がして、くらくらとしていた。わたしはまたそれから、何処かへ歩いていったらしい。

（2020.6.11）

雨宿り i

雨宿り。――おのずと死語に向かっていく言葉でありながら、必ずやそれは生き続け[illegible]もしくはしっかりと二足歩行で人間性を保ちながら、詩人的性格者が必ずや庇となって守護すべきもの。それでいてあくまでも現実的有用性を兼ね備えていなければならないような言葉。

詩的と、実用的とを行きききする、ひとつの傘。空模様を始終気にしながら、言葉が寄り集まってくる処。しかしこの小説の市区には、屋根がないのである。それもそのはずで、そもそも安住出来る建築がないのだ。そういうものには頼りきれないのである。そもそも雨すら降っていなくとも、つねに惨劇はあるのだ。この場合の傘とは、一時をしのぐための、あるいはしのぎながらもとりあえず現状の惨劇の中を進行しようとするための、心的処世術である。

ひとは、思いがけない状況におちいったときには、まず、どうしようかと思う。これはひとつの生態にも近い。もしくはその対処法の根本のひとつが、雨宿りである。それは古典的叡智というわけではない。むしろそれはいまや時代遅れの手法である。

雨宿り。予測不能な近くの未来に向かって、備えあれば憂いなしの精神。そこには必ず常に希望的な観測があって、この言葉は、その言葉自身で、必ずや切り抜けられると思い込んでいるのである。このようにひとつ言葉で、物語を抱えながら、それでいて破綻しないような言葉は他にあるだろうか。それは春待つ冬籠りにも近いが、雨宿りの方が、直言すれば、より庶民的である。そこには場末の生活風景の、裏通りに面した人間の生乾きの匂いがある。

だからわたしはこの言葉が、単純に、好きである。一見、堅実なように思える。冷静な決断を下したかのように思える。それでいながらそこには不意に事件に巻き込まれたような、浪漫的な被害者意識がある。まったく、自分の準備不足によるものであるのに。――それは反面、この言葉の、おっちょこちょいの為なのである。あるいは粗忽、思い違い、空想家、虹すら出ると思っている。それら奇蹟をさえ、必ず起こると過信して疑わないのである。だからわたしはこの言葉が、単純に、好きである。

どのような事態も、完全に預言可能な世界が訪れ、街のすべての軒下から、一時をしのごうとする人影が悉く消え去っても、あるいは傘という道具が完全に普及して、その形態も変異し、利便性も急進的に発達し、あらゆる対処において駆使可能になろうとも、依然として雨宿りという語彙はあるだろう。むしろ一冊の売れない同人詩誌の中にこそ。

科学的にも呪術的にも、雨雲の移動を食い扶持として浮世を渡る予報家たちは、どのような世の中でも、それで食い詰めて離散をするということはないらしい。もちろんその生業の得手不得手はあるにしろ、そういう人影は、常に都会の懐や古書の片袖に蔓延り続けるのだろう。

あらゆることについて予測不可能な世界がある限り——それらあらゆる蓋然性の中において、葦の叢《くさむら》が常に時の惨禍にある限り—— 雨は降り、雨は止み、葦は濡れまた渇き、生活者は持続して生活を貫く。傘は手段に過ぎない。そもそも雨宿りは、何も持たない人たちの生き様の一齣である。

一本の煙草。—— それに近い。

(2020.6)

往復書簡（八月の終わりに）

相手をきづかうように発せられた言葉は、あるいは、ひともじ、ひともじ、その[illegible]れた言葉は、それがどんなに自分ながらにたどたどしくて、もどかしくて、思うようにはならないようなものであっても、あるいは、回りくどいようなものでも、そのどこかに、残しておくべきような類のものではないにしろ、電球の燦を浴びた流水のように爽やかできれいなものがあると思った、八月の下旬であった。

金魚すくいのように、背中の呼吸だけを追いかけて、ついにはうすい鼓膜擬《もど》きをやぶって、もう声すらも聞こえなくなる。機械的に、悉く均一に抄紙された膜であるために、それら視界もそもそもが不鮮明なのではあるが、それがまた水流によって次々に衝破されたとしても、透明な鱗が一面に誇示されたような液晶の更紗模様を追いかけている限りは、ある種のもどかしさはぬぐい去れない。漁《いさどり》の記憶さえない。記憶の色さえもない。そんな世界との、やりとり。

それらは双方向のやりとりにも思われるが、実はどこまでもひとりよがりのもので、別にその魚影は逃げようとしているわけでもなければ、こちらに故意に飛び込んで来ているわけでもない。ある程度はまたそのようにも思えることはたしかだが、むしろそのようにこちらが思い込んでいることによって、そこにある種の自己性や遊戯性が生まれるのだと思われる。なのでこの行為は、限りなく一方向に近い干渉である。互いに追いかけている獲物の尾びれは、必ずや一致しない。お互いがお互いによって、泳がされている。

よって厳密には、お互い人間ではないと言える。言葉の微妙な羞恥から、人間であることが、わかるに過ぎない。その行間が個人に向けられていることを確かに錯覚して、確かな場であることもまた錯覚しながら、確かに受け答えする。その行間の総体がこの水槽で、この水槽を見ている人間の総体は、何処からかやってきてまた何処かに消えていく、匿名の仮面をかぶった祝祭の烏合風景のそのものである。

人間性を削りとることで全てを円滑にしてきた、この半魚人化の作用。われわれは営利的にも、非営利的にも、それぞれに「遊び心」と「真面目」のポリシーを持っていて、救出するという意味合いでも、また選択的に摘出するという意味合いにおいても、それら水槽の中から人間性を〈すくいだす〉。しかしその遊興に耽ったあとで、もとの神社の祭壇に来てみれば、もうそこには、誰もいない――そこにあるのはただ荒れ果てた蕭条たる世界で、まさしく祭りのあと――という、あのさみしさではなかったか。もしくは自らを自らによって隠蔽し続けることも可能で、そういう方法は現実世界に対する一種の永続的な神隠しといえる。その善し悪しは、未だよくわからないらしい。

それでも、確かに――振り返ったときに、夏の灰燼のような儚さはあるものの、やはり同じくして現実に例えばあの「金魚すくい」が、それだけで可憐でうつくしい嬉戯であるように、それら水面の言葉のやりとりにも、上澄みにも似たきれいなものがあると思えた、八月の下旬であった。例えばそれが経験豊富な別世界の先達と、貧しい職業見習いのやりとりであっても。あるいは顔も知らない海の向こうのお方とのやりとりであっても。

顔が見えないこと、あるいは順序が早いことに対して、わたしはある意味、意[illegible]

れない。この匿名世界の交流については、棘のある一面かよく取り沙汰される。それもそれで確にそうであって、わたしも出来ればそれを避けたいひとりなのではあるが、しかし時として、懸隔や不透明さがあるほどに、そのぶん余計にきづかわれたような言葉は、かえって角がない言葉へと変容をして、投げ出される。例外的に、言葉が、経験をする。この限定的な留学経験によって、言葉は円形に形成される。

それは鉱物内に眠っている神秘的な正多面体の自然を、鑿と研磨によって彫り出し、手間暇かけて気高い結晶を宝石として再現しようとする、あの切子職人の技法とはまた違うようである。かといって、例えば長年の堆積と河蝕の作用によって、川辺の礫が丸みを帯びてくるという行立《ゆくたて》ともまた違う。時間があるわけでは、ないのである。むしろ例えるならば、対象の冷めないうちに諸手で即興的造形を為し、手間も時間もかからないことでかえってある程度の日銭の足しと紅葉手の喝采を得るという、それはあの屋台の飴細工に近い。

それでもその形成のされ方に、やはり個性はあるだろう。そのような方法と順序でつらなった言葉は、時として、口内でほろほろととける。安っぽいほのかな甘みだけを残して。言葉の方もまた、そのように成型され、そのように披見されようとする。その方が、もろもろ都合が良いということもある。――深入りはしないがよろしい。それはあくまでも子供の憧れ。自らが教育者となって、自らがその世界のやりとりに没入せんとするときには、常にその手を離さず、時として制止する必要もあるだろう。この言葉たちは、後世に残しておくべき性格のものではないことによって、また一つの個性を得るのであるから。それらの文章は、残るべきものでも何でもないのであるから。

しかし、余りにもこの没個性的な個性を等閑にするひとは、飴細工師の美学と修練とを頭ごなしに否定することにもなるので、注意が必要であると思われる。むしろ双方を祝祭的に、そして刹那的に取り持つ虚実皮膜の媒介人たる無名の香具師たちにこそ、前向きな訓戒が必要だと思うのである。なにやら偉そうな言いぶりになってしまってばつが悪いが、もちろんこの戒めは決して世間様に対して広言しているわけではなくて、すべては自分の意識下における交通法のはなしである。――自分自身の目抜き通りに、あるいは境内の暗がりに、仮設の軒なしていかにも甘く、わかりやすくせつなく、表裏ないまぜに手招きする流言飛語たちを、一掃してはならない。占拠させてもならない。ただ、それだけのはなしである。

八間の大燈籠という小ばなしがある。寄ってらっしゃい見てらっしゃい。八間の大燈籠だ、八間の大燈籠。声色たっぷりに、仕掛人がそう呼び込む。その宣伝は非常にわかりやすく、大衆にはことに魅力的に企てられているので、声の届く範囲であれば、ある程度は一斉に注目される。八間というのは、現行の単位になおすと、大体十五メートルほどである。燈籠というは数知れず、廻り燈籠、篝燈籠、牡丹燈籠、石燈籠。それが大名屋敷の廻廊ほどもあるのだから、はていかなる壮観たるか。人々はその脳裏に、それぞれの龍宮城を思い描く。その色彩の氾濫。可能性の多岐。それら誘惑に惹かれたひとたちは、入口に吸い込まれる。

ただ、それだけのはなしである。しかし落としばなしには落ちまで説明しなければならないという義務がここにも例外なく発生すると思うので続けると、さあ、甘い勧誘に誘われた一団、一歩その天幕に入ってみると、どうやらそこは暗がりである。へいらっしゃい。その暗部から、さ[illegible]

道を通ろう、通ろうと、導きの声が聞こえる。半ば強引に、身体は身体性を失いながら知覚の制限をされながら、その奥へ奥へと引き込まれていく。暗闇の水先案内人に身を預けるままに、漠とした時空間を進んでいくと、稍々あってから、そのうちにぽんと背中を叩かれたような気がする。ふと前を見ると、そこに広がるのは民家の裏庭に雑草の生い茂る、あるいは集合住宅押し並べて小窓に灯を満たす、もといた現実風景である。

これで、おしまい。龍宮城どころか、なに、龍神伝説も、空海上人の謂れも、ご神仏も潮風も貝の酒蒸しもない、江ノ島の岩屋である。ただの闇。そればかりではない。いくらかの、金子も取られている。そうでなくとも、そのための時間は搾取されている。あとから聞いてみれば、それは燈籠と「とおろう」を掛けた低次元の言葉の綾で、その人口の洞穴の長さが、ちょうど八間であったという。その長さは、ひとの不安と満足感と、ある程度の実感をふるいにかけて、ちょうどその揺さぶりが心地良いように算出されたものである。――しかし対象者は、それを後悔もしなければ、たいてい苦情も言わない。顚末を俯瞰して失笑し、おもしろがることで解決するのである。ただ、それだけのはなしである。

ドイツの怪談に、こんなものがある。ある天文学者が、一軒の小屋を借りる。その男は、普段から自分の満足ゆく仕事ができる部屋がないことを嘆いていた。その小さな館は静かな村の入り口にあって、この男の情熱を傾けるには最適であった。ただ、幽霊が出るということを除いては。――しかし男は、気にせずにこの小屋を借りる。そしてある晩のこと、部屋のカーテンの前に、しゃれた服装で眉目秀麗の若い男性が現れる。幽霊である。二人はしばらく無口で対峙する。「それから、この天文学者が後で話したところによると、この無用の存在に対する激しい嫌悪がこみ上げてきた。このぞっとするほど無意味な存在は、ただこういう風にやってくるだけであり、みじめな無能力の故に、人生の単なる否定面でしかない……。だがそうしているうちにこんなことが起こった。化生の物は固さを失ってゆき、輪郭がずれ始め、融けてゆき、その衣服を通してカーテンが見えてきて、そして消えた。」以上原文より。

ただ、それだけのはなしである。作者はアルブレヒト・シェッファー。石川實訳。星との会話にのみ心血を注ぐこの蝉蛻の徒の眼差しが、夜空にも近しい不可視の向こうに非存在を存在させ、そして消滅させるというわざをやってのけるというこの怪談を読むと、研ぎ澄まされた意志の強さとともに、気の抜けたような馬鹿々々しさも感じられると思う。科学的な大嘘を根底に持ちながら、ときに真に迫った、ときに血も涙も根も葉もない言葉によって、自然と不自然とさえ晦ませるというその効果を、あらゆる怪談は伝えるように思われる。われわれの多くは天文学者ではないが、一読者の権利として自由を許されながら追想すべしという物語作者の意図に正直に従っていくと、そこには大なり小なりの透かし絵があって、各々の分野ごとに星図の類型の如きものを発見するとも思われるが、まさしくいまここで言わんとするところの匿名世界とのやりとりの恐るべき部分は、非身体性を象った化生の物に対する、眼差しではなかったか。どこまでも空虚にも思え、また活発にも思え、それがあるということを思わせぶる、半透明の運動と出現、そして噂。

どうやら怪談はこの手の未来的行灯にも、その無い足を踏み入れてくるらしい。しかもそれは示唆というよりも、より感覚的な比喩を与えると感じる。わたしはこの怪談を河出文庫の種村季弘編

『ドイツ怪談集』で読んだが、右と同じ訳者でこんなものもあった。ある町のカーニヴァルに——彫しい民衆が仮面をつけ、または仮装し騒ぎ立てる、昼間の祝祭の只中に——突如何処からか七フィートもあろうという木の幹が出現する。七フィートというのは、本邦の単位になおすと、大体二メートルほどである。立派な根と緑の葉をつけ、不自然過ぎるほどつるつるした木の肌を持っているが、どのみちこの自然はこの場おいては不自然そのものである。このつまらない粉飾者は、はじめ群集の気にもかからないが、その趣向が徐々に嫌悪感を買い、木偶の坊は罵詈雑言を浴びる的になる。しかし木の幹が木の幹らしく振る舞うにつれ、滑稽は不安に変貌し、笑い声はぴたりと止む。とうとう木の幹は捕えられ制裁を加えられるが——中身は全くの虚ろ、それはどこまでもただの木の幹であった。しかしそのあとでも、いや、あれには機械が入っていたんだ。いや、インドの手品術に違いない。——町にはそんな噂が飛び交い続け、真相を晦まし続けた。ただ、それだけのはなしである。

　はなしが枝道にそれてしまってまたばつが悪いことになったが、つまりは宝石商でも堆積作用でもない、流浪の飴細工師の手捌きを、あのなめらかな色彩と命のない陰影を、かんたんにすることで得るものを得るというあの子供だましを、そういう言葉の成り立ちを日用品としての扱うことを——等閑にする必要はないということをここに書いてみたいだけである。これももちろん世間様に壮言しているわけでは決してない。すべては自分の意識下における公園法のはなしであって、昼夜を問わない自らの語彙の広場に、自分の仮面の裏側からも大いにやって来てときにわれながら可笑しく、恐ろしくもたのしく踊りだす流言飛語たちを、一掃してはならない。占拠させてもならない。ただ、それだけのはなしである。

それだけのはなしであるから、元も子もない。本質に迫るほど、何もない。その人影の蔓延る領域は、つねに管轄の曖昧な空き地であって、経済的でも、宗教的でもない。目抜き通りや境内の暗がり——やはりその目的は、一夜の人寄せに近い。個体にきづかれることなくして、総体にきづき続ける場所。そのきづきの如何は、露出と遮蔽を繰り返し、装飾と機能とを議論されながら、全てが幻燈の幌のうちで行われている取引なので、それを見せようとするひとたちも、見ようとするひとたちも、そのあとでいつもの部屋に帰り来てのち、一歩下がってみてきづくことができるだけであって、その総体自体は、思考しない。飛躍もしない。その影たちは、芸術家にはなりえない。芸術を望んでもいないし、そもそも芸術にしてはいけないという不文律をさえ持っている。そしてまた繰り返しになるが、それら風来坊の言葉たちは、残るべき性格ではないのだ。真価がないのである。住所がないのである。そこに安住できる、おあしもないのである。

いくたりかを除いては——という、文脈上正当に思える反語も、ここでは当たらないだろうと思われる。なぜならば、こんなことは、もうすでにわれわれが日常に心がけている種類のものだからである。しかもそれら通信は、いまや生活そのものの言葉になっているので、その異質さえ埋もれて久しい。あるいは執着と反復の持続によって、それら架空をわがものにし、その空想の産物を装幀してひとつの成果にすることはできるかもしれないが、それもせいぜいその当然に対して、一歩下がってみたというだけである。だからつまるところ、じゅうぶんに望みはあると思い込むというひとつの意識による、きづきの如何である。——それだけのはなしを、それだけにしないというだけのはなしである。

むかし、あるひとが、架空の手紙を書いて、ひとりでに文通しているうちにそこにひとつの物語ができて、それがとうとう近代小説のはじまりになったと云う。そんな空想の書簡体小説風やりとりを、いまわれわれは日常にしているのではないか――という期待。ひとつの意識次第である。例えば婉曲されて、まごまごした言葉、もしくはあえて簡明直截な表現することで、受け流そうとする文体――そのようにしてかさをまして、あるいはかんたんにされてしまった言葉たちは、わたしは場合によっては、庇護にも価するもと思う。粒選りして桐の小箱に入れて、自分好みの趣味をさえ焚いておけば、数年後にはそれらしい薫りもつくだろうと思われる。そんな現代における、もどかしい、往復書簡。きづかいの、うつくしいというよりも、けなげな言葉を生み出す可能性を、もしかしたらこの空想便箋には担うところがあるのかもしれないと思った、八月の下旬であった。

もちろん、全部を見たからいうのではない。そんなことは、出来るわけはない。ただただ自分のひと夏の経験から、たまたまそんな気がしたので、ここに今日、書きつけてみるだけである。季節や、海や、時差を往復することで生まれてくるもの。あるいは人気のない物流倉庫や、歯車の支配する機構を経由することで生まれてくるもの。わかりやすくて、余計な説明はいらないようなもの。もしくはそのような文体。しかしまた個性的なものを、獲得されたもの。人間味が付与されたものが、必ずあるもの。どうやら収まることはない架空の波の只中で――それらはいずれ人間味の素地として識字教育され、人間であるためには必修の科目になって、われわれは新しいひとでなしを妖怪や人形に例えはじめることで、雪洞《ぼんぼり》や洋燈の時代を正当に踏襲するのかもしれない――そんなつたない想像さえも広げてみる。あくせくとその手足を振り切って、もちろん人間ではあるのだが、自分ではもうそれすらも自覚出来ないくらいに、とりかえしのつかない速さ駆け抜けてしまったそのあとで、振り返ることもその焦燥もなくしたような世代のわれわれが、この総体の水槽の中から、三度〈すくいだされる〉ためにも。

摘み出される情報と、囲いと液体。行為の側は、赤色の游泳体を獲物よろしく目で追うことはしても、水流自体を読むことはあまりしないだろうと思う。達人にはなりえなくとも、そこにひとつの奥義があって、小説の下地や話芸の地の文のように、満たされているもの自体が意味になり、ひいては伝統や芸事の素地にもなるということになりはしまいかと、そんなことすら考えている——わたしの夏の日のつたない経験は、わたしの未熟を言葉によって綱渡りしていく。

これら動揺した想像は、墜落の懸念を足元に集めただけの、いかにも緊張した、いまにも途切れそうなひとすじの映像に過ぎない。その不均衡を、なんとかこわばりながらこうして書きつけているだけである。だからその伝統性を探れば探るほど、まだその日の浅いために、そしてわたしの思考不足のためにそれらはまだまだ覚束ないが、精一杯の背伸びをしながらも、わたしはそのような注釈の大部分をこそおろそかにしてはいけない職業なのだと思い返すこともできた、夏の終わりのさみしさであった。それがわかったような気がしただけでも、良かったと思えた。速さが便利なのではなくて、きがつく早さを得る点で、利便なのである。もっぱら人間味のないようなさみしさからも、あらゆる新奇の怪物からも、獲るものは確かにあったと思えた。

養殖のようなさみしさでも、われわれはそれを欲する。あるいは必要とする。変わりのないような個体を生み出し続けるという技術と作業によって全体を支配し、そのつくりごとの世界を生簀《いけす》こ集めて生かしながら、それら全体が個体を補完してこそ、あらゆる像の認識が[illegible]となり、商品となる。そして個体と個体とが必ずしも一致せず、全体の名称を保ったまま、ときとしてわれわれは見間違うということで、認識の読み違えをする。それでもその読み違えはときに小気味が良く、ときに都合が良い。うつくしいとすら思うことは当然であり、もちろんそれがつくりものであることもわかっているのである。

疑似的なうつくしさでも、しっかりとうつくしいものはあって、それらは手ざわりと奥行きがない点で似ているが、それらの手ざわりと奥行きのその質が、まったくもって違うのである。どちらの思い出も思い出として残るが、この夏は別世界の夏である。しかし、現実の夏と架空の夏、そのすべての夏が夏の一語で済まされているように、それらもまた夏の一語に収斂されていくし、振り返るときには、ひとつの懐かしい夏の日に違いはない。小説も、小説を先祖に持つあらゆる架空世界も、そのような人間の襤褸にこそ染み渡り、そのようなうつくしい失敗よってこそ現実にしっかりと加担してくるのだろうし、わたしはわたしで今日もその風通しのない交流のさみしさを知りながらも、娯楽意図にも手持ち無沙汰にも、その端末をつねに指先にぶら下げている。

ちょうどその命の短さを知りながらも、永遠の愛玩には堪えない火影としての儚さを知りながらも、それでも一時の保有とその慰みのために、円錐形の透明な檻、ポリエチレンあるいはポリプロピレン製の袋の中で、日常に戻ろうとする非日常の帰路、その澄んだ薄膜に群集や、電飾や、陳列の風景を映しながら、それとは知らず持ち主の私室に運ばれていく、囚われた夜店の金魚のように。——未だ限りない世界を游泳していると、心地良く誤想したまま。

あるいはそんな、夢を見ているのだと思う。ある人は映画の夢を。ある人は絵本の夢を。そしてある人は、活字の夢を。前向きな意味は、あるのだ。空想の空間には、空想の意味があり、そこで行われる書簡的なやりとりには、それにはそれで必ずや意味があり、そして必ずそれ以上の意味はないのだ。その物をつかみたい、その人に会いたいと夢を見る手段に過ぎないかわりに、しかし絶対にその手段であることの意味はあるのだ。そう思った、八月の終わりである。もちろんこれもひとつの夢であって、季節遅れの金魚柄の空想便箋に、わたしはこうしていま、書きつけている。

はじめはかろやかに、途中は不安げに重々しく、光から影を抜けてきたこの夏の文体を、わたしは夏の経験のそのものとして、ここに掲示してみようと思う。しかし、いま思うおそらくもっとも大切なことのひとつは、やりたくないひとは、やらなくていいのだということである。もちろん、わたしも含めて。関わる必要がないひとは、無理に関わらなくともよいのである。仮面売りの面の売り買いのように、そもそもそれ自体が虚しいやりとりなのだから。それでもわたしがここに書きつけてみようとしたそのわけは、ある架空上の経験によって、わたしが夏の日差しにも似た一條の光を得たことは確かで、それがいま現実に夏の光の記憶として、誤謬することがあることもまた確かだからである。

ただそれだけのはなしに、それらちいさな挿話に、つくりものの鱗をつけてみるというような、例えばそんな手順で。一回数百円ほどの廉価でもよいので、経験として現実に掴まえるという手順で。それがもし近代小説のはじまりにあるとするならば、かわいい妄想である。あるいはばけもの屋敷でも、からくり人形でも、それ以上に仰々しくしてはならない。それはあくまでも子供のころの、

のであるという意識が欲しいと思う。見世物の実体や文学作品の正体を
機械音の木霊するかわいらしい精霊であって、それ以上でも以下でもない。類似的な養魚の個体が移動する空間の中で、それら全体が例えば思い出の夏となる日のことを、誇示しながら、擬装しながら、待つということは自由であると思う。なぜならばたいていの人間は、これからもつねにこの夏の日を自在に駆け巡るらしいから。冬日可愛《とうじつあいすべし》ということはもはやない。そもそもが故事のない世界なのだから。

そしてさみしさだけが残る。八月の終わりのように。この短文で言ってみたかったことは畢竟、ただこのさみしさのひとことであることを、ここにわたしは手紙の結びの文のように書き記さなければならない。それがなければ届かない、もっとも書き漏らしてはならない個人的情報のように。

さみしさによって、われわれは往復書簡を出す。誰に？　それはわからない、誰かに。人間であること信じている、同じく往信を期待しているらしい、無香の香りをのせた無風の風が吹いてくる方角から、つねに消息は問われている。ないものに等しい封蝋は、もちろんべったりとは圧されない。それははじめから大方紛失されるものとして発行されている。

あるいは押印、皮肉にもそれが無効の証拠になる、あの郵便消印のように。そのもののさみしさ。灯台も鴎もない。名所図会さえもない。現代のかすれた位置のためにも、たどたどしくも、回りくどくも、われわれは、ひともじ、ひともじを、きづかう。あるいは、きづかうという可能性と選択肢がそこにあり、そこにあるに過ぎないので、われわれはそれらを忘れかけることで日々をしのいでいる。それでいいと思われる。

　電球の燦に照らされながら、真紅の魚鱗を追いかけた昔日は遠い。向こうには光。向こうにも光。それはある。いくぶんかの緑を湛えながら。いつか抜けきってゆこうと思う。そのときに身体は足元からさみしさを感じる。そして爽やかな谷山の隧道のようなこの手紙を、わたしはここに書きつける。

　そんなことを考えている。八月の終わりである。そうしているうちにお祭りの屋台も納涼の風物たちも、もう何処かに消えてしまった。

（2020.8）

朗読のための作文 ii

恥ずかしさなんて、もう、わざと、落し物にしてしまえば、よいのである。誰かが拾って、近くの交番に、届けてくれるはずである。うその住所とうその氏名を、鉛筆書きで、さらさらとしたためて、見つからない前提のごとくに届け出しておけば、それでよいのである。こんな恥ずかしい表現だって、してしまえばよいのである。

そのあとで、落としたひとも、拾ったひとも、保管しているひとも、忘れて、届け出も、忘れ物も、その日の夜空さえも、よくよく見ると、そこには点々と星が出ていたことも、忘れて、きっとそれからは忘れたことさえも、忘れ去られるようになる。それで上出来なのである。

こんなことだって、言ってしまえばいいのである。恥ずかしさなんて、もう、落とし物にしてしまえば、こんな恥ずかしいことだって、平然と言えるのである。

まずは、人に向かって、話さなければならない。それが最初の、試練である。けれどもこの試練は、それほど、きびしいものでもないのだ。

どうしても、生きていくので、その表現は、しなくてはならないだろう。しかしまたその表現については、たとえばそうしようとするだけでも、おそらくは、よいのである。ぐっと握りこぶしするだけでも、よいのかもしれない。

話し出す、ということは、むしろ、それでいいのであって、つまりは、話し出そうとすることが大事なのであって、つっかかったり、声にならなかったりするのは、それはそれで、よいのである。

朗読とは、それらを自分なりに、たしかめてみる行為といえる。

朗読という行為は、いつもすぐ隣にいるはずの、恥ずかしさを、留守中に尋ねてみて、静かにノックをしてみたり、ちいさく呼び鈴を鳴らしてみて、その生息を確かめてみるような、作業である。それはいきなりの訪問であるから、そのために言葉も、えらばれている。

朗読という行為は、恥ずかしさを、恥ずかしくないように、装ってみて、あえて人前に出てみて、紳士ならばネクタイを糺して、淑女ならばドレスの裾を揃えて、それからまた背筋を伸ばして、そのままでとりあえず向こうの出口まで、しっかりと歩いていこうとする作業である。かかえている花瓶の水を、こぼさないように。

わたしが、「あ」と言う。それが「あ」である。わたしが「い」と言う。それが「い」である。この時、それ以外の「あ」や「い」は、「あ」でも、「い」でもないわけである。

わたしが、「いま」と言う。それが、「いま」である。わたしが「過去」と言う。そのときがすべての過去のはじまりの合図である。

こんな恥ずかしいことだって、口にしてしまえばよいのである。恥ずかしさなんて、忘れ物にしてしまって。なぜならば、もう、とっくに、大人になってしまったのだから。表現をしなければならないのであるから。

いかにも大人の格好をして、身だしなみを整えて、他人の扉をノックしたり、詰めて[illegible]ながら、自分の「あ」だとか、自分の「い」だとかいう言葉を気にしながら、生きていく表現を、しなければならないのだから。ほんの少しだけ、無理もしなければならない。

朗読台本を、ぱたりと閉じる。帰り道。靴の音が、ひとつ、ふたつ、みっつ。

そのあとにはじめてこの街に、子供時代のように長くしめやかな終わりのない夜が来る。しばぎんざ商店街の舗装路は一斉に冷たくなって、星空をはじめとしたさまざまな落とし物が見つかるのは——そのとき。

（2020.10　朗読会用テキスト）

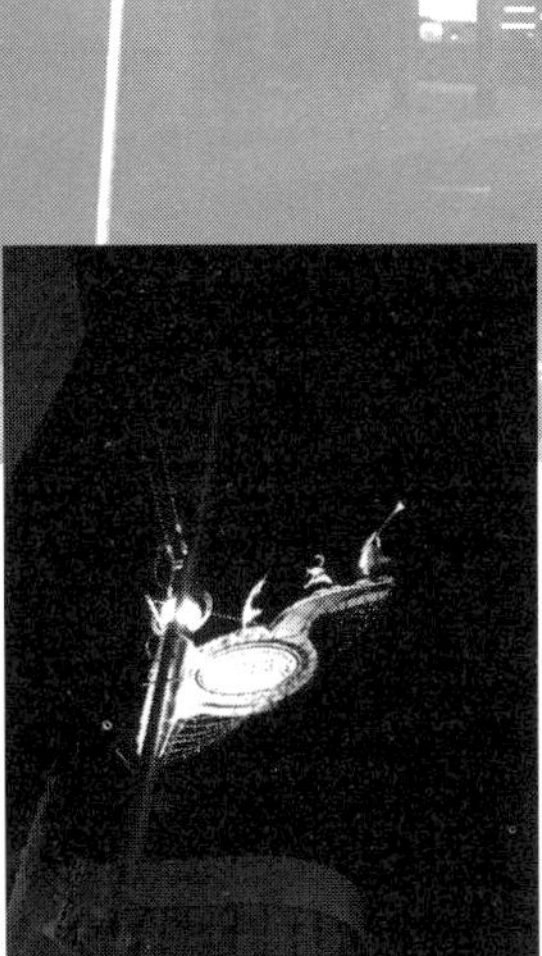

長谷川美緒『稼働する人形』七月堂刊

長谷川美緒「稼働する人形」
インカレポエトリ叢書　V
七月堂
二〇二〇年十二月十日　発行
定価　九〇〇円（＋税）

白い画材で、白を描けるひとがいる。そしておどろくことに、読むことができるのである。

それら完全な言葉足らずを、不完全のままに満たしてみせるのは、技量と感覚の双方の均衡が、完璧だからである。ここで私は完璧という語彙をかんたんに用いてしまったように思われるかもしれないが、決してそういうつもりではない。これはまったく、一般的な用法として言っているのではない。私はあくまでも慎重にこの言葉を選んで、そっとここにおいたつもりである。完璧とは、もう少しその表面を削っていくと、ひとつの、なつかしい安心に到達すると思う。よってその様子は、だんだんと白色にこそ近づく。この詩集に出てくる百合根や、繭や、たまごの殻や、なめらかな人形の四肢が、これに相当する。

よってすらすらと完璧を描けるひとこそが、白という色彩の難題を、いともかんたんに、淡々と描けるのである。それがもし真っ白い紙面の上であっても、詩集という言葉のための恩恵によって、われわれはそれを読むことができる。

ひとりごとのような感覚の叙述からはじめてしまって恐縮ですが、これが第一の感想です。「白いということ」。

⁂

状を伺っているように思う。この詩集

を読んだ方は、流暢に言葉を操る影を見るのではなくて、むしろその影が言葉をすっかりと飼い慣らしていることに気がつくだろうと思う。なぜならば、呼吸の無駄がないからである。足跡すらない、言葉の飼育記録が、うつくしくならんでいる現実をご覧下さいませ――私はまるで興行主にでもなったつもりで、この詩集を、この詩集を読むに相応しい方々に推薦したく思う。

　ご覧――それがもっとも良い批評である。まさしくこの白堊の館を前にしては、なにを言っても蛇足である。あるいは同じ気質を持つ幻獣の足のくらいならば、踏み込めるだろう。

　言葉以前の不完全を、完全にあっさりと、すんなりととらえてみせる彼女の手は、いったいどうなっているのだろう。

まぼろしのたばこをくゆらせながら生きている、ひとりのひと。この稼働する人形は、自動人形ではないらしい。その稼働力は、肺の中に棲む小動物であって、尚この獣は、呼吸するようにして的確にうつくしい言葉を並べる。

　「けもの」。これが第二の感想です。

＊＊

新潟市から、一冊の詩集が届いた。

　長谷川美緒さんは、むかし私が『新奇蹟』という売れない同人誌をやっていた頃に知り合いになって、同人にもなって詩や散文を寄稿して下さったりして、お世話になった方である。よくお茶もしたし、お酒も飲んだ。

　その美緒さんの詩集が、届いたのであった。同人の仲間から第一作目となる作品集が出たことはほんとうに嬉しかったが、驚いたといえばいた[illegible]美緒さんがいずれ詩人としてデビューするのは、当時からまったく当然のことだと思っていたからである。同じくまたかつて同人の仲間についても、その表現の幅は違えど、今でもその才能を信頼しているし、そして期待している。（いまのところ、自分がもっとも体たらくである。）

　私は当時から、美緒さんの詩を愛読していた。美緒さんは、院生であった。私はドイツ文学科で、詩人の研究をしたり、恥ずかしながら自分でもこそこそとそのような表現をしていたこともあって、美緒さんとはお互いに作品を見せ合ったり、感想を述べあったりしていた。

　はじめて美緒さんから何枚かの詩の草稿を見せてもらったときの事は、忘れられない。私はたしかその作品を、神楽坂の安カフェで読んだ。それからやや高揚しながら神楽坂を下り、飯田橋の外濠沿いにある店で珈琲を買い、野外席に腰かけ、そこで一気呵成に感想を拵えた。寒い日であった。一着しか持っていない（今でも）緑色のダッフルコートに身をうずめて、手袋をしながら書いた。周りには誰もいなかった。

　そして、このたび、私はまた懲りずにこんな売れるのか売れないのかわからない雑誌を幸いにもやることになって、時期もちょうどだったので、美緒さんから届いた詩集の書評を書いて載せようと思い、そのむかしに飯田橋で書いた詩の感想文を探したのであるが、これが見つからない。それもそのはずで、私はその感想文を、コピーもせずに詩興冷めやらぬまま本人に渡していたのであって、その原稿がある唯一の可能性は、北陸の冷たい市のどこかなのだから。

　私は早速新潟の美緒さんに連絡をして、こんなに情けない話はないのであるが、恐縮してその拙い原稿の行方を尋ねた。そして有難いことに、美緒さんがその原稿をまだお持ちなって下さっており、私はそれを参照することが出来た。ほんとうに、不面目なやつである。長谷川美緒様、改めてお詫び申し上げます。

　その原稿は、早稲田大学製の横書き四百字詰め原稿用紙に、縦書き、ブルーインクで三枚半。罫線は茶色。寒かったから字も震えていて、読みづらく、悪字である。それでも、私がはじめて著者の詩に触れた感想が正直に記憶されている部分もあるので、少しだけ修正したうえで、まずここに載せてみたいと思います。第零の感想として。

＊＊＊

詩の感想　長谷川美緒さま

imperfection

　今回見せて頂いた詩の中では、序詞に相当するものではないかと思いました。全ての詩を総括するような世界観があり、（しかし、それも世界観という表現では安い、もっと違う表現をしたくなる。）何故ならばこの詩世界は常に心地良い不完全の中にあって、それを明瞭な視覚や輪郭では捉えたくないので――あるいは、そもそも、言葉は一つの欠陥であるという事。その欠陥の不完全を訴え、克服しようとする手段も、また言葉である事）その模糊の総題を小文字の異国語でimperfectionとしたところに、詩人らしさがあると感じました。アルファベットの表現は、近代詩の手本的伝統において は多用はしかねるものと思いますが、こではそれが非常に効果的であると思います。効果的――というよりも、それはより手前の問題で、この総題の無用を伝えているように思います。つまりはこの詩の題は「無題」と題するより他になく、つまりは無いものに近い。それは平仮名でもない、片仮名でも、漢字でもない世界がはじまるのだ――という、よってそれはやはり適確な字体の入口。私がこの詩を序詞だと感じたのは、そのためです。

おばけ

都会の、あるいは郊外の、一室の静寂を捉えた詩。アパートメントの夜のくらがりの音が、聞こえてくるようです。「おばけ」という平仮名、「女」の一文字、もしくは言葉以前の「たぶん」を、幼年期の思い出にするすると柔らかく繋げてゆくところに、妙味があると思いました。しかし読後感としては、とてもやさしい会話風の、静かな詩です。

掘削工事

「船のよこはら」という素描が、まずはとても良いと思いました。これは必ず「よこはら」でなくてはならないとすら思いました。

観念的な象徴詩ですが、それが小難しくならないのは、正直な言葉のつっかかりが、嘘を払拭して、感じられるからだと思います。――「わたしは知る／知っていた、／ほんとうは。／知っていて」――という、氷菓子にも似た、それはがりがりとしたつっかかり。大人びていながら、どこか少女的です。それでいて感傷的でないのは、秀逸な題名にも拠るところと思います。

紙風船

散文詩。もしくは散文詩風。今回の中では唯一。ひと息めで、もうこの紙風船の軌道は決まったようなもの。あとは自由に飛ばしてみるだけ。――しかしその自由は、からからとした表面を収縮させながら、中身は自責の念で満たされている。しかし、その満たされている空気は、持続的に浮遊するだけの、もしくは自ら意識的に運動するためには十分でない。尚且つ、――「こんなものを書くのは……」――と云う、溜め息さえも含有しながら、呼吸しようとする。即物詩。――そしてあの懐かしい安直な半透明の、七色の色彩も感ずる。

有史以前

清廉な詩。清廉と云うよりも、より越

えて、より白い。しかし、真っ白ではない。わたしですらないかもしれない―― という結句は、それ以前に、こんなにも透明な言葉を連ねてきて、ほんとうにうつくしいとしか言いようがありませんが、それでいて生命感がないところに、この白皙にほのかな淡泊を与えています。いや、全く生命感ないと言えば、それも嘘であって―― 百合根のように、というのが、まさしく最も正しいと思われますが、それでもまだ足りません。

　作者のことばに対する思いが、最も直截的且つうつくしく描出されている、稀有な詩だと思われました。

　全体としては、全てに一貫した主題性と、確かな文体《スタイル》があり、きれいな白絲のようで、まるで一冊の詩集からの抄録を読んでいるようで、これらの詩はいつか一冊の詩集のまとめられるべきものであると感じました。これらの詩篇が、そのまだ見ぬ詩集―― 今のところはまだ不完全な詩集の断片だと思うと、その年月の空白こそまた詩的に感じられます。―― まるで言葉自身の白昼夢のようです。

　詩の一つの特徴として、例えばドールハウス、冷やごはん、フライパンなど、普通は詩語にならないような語彙でさえも、読み返すうちに、それらは必ずや文林になくてはならない言葉であると思われてきます。それらの言葉が、この不完全な揺らぎの世界に、屈強に、そしてしとやかに通底している日常性を生み出していて、そしてこの揺るぎのない日常性こそ、この詩集の最大の特徴の一つになるのではないか……と、想像しました。

　勝手な感想を申し訳ございません。たのしく、おどろきつつ、読ませて頂きました。有難うございました。

　ひとことで言うと、どれもほんとうにスゴイ詩と思いました。(安直でスミマセン。)

　汚い字、走り書きで申し訳ございません。いつかこの「詩集」を手に取れる日を夢見ております。

2018.11.15　何故かCANAL caféにて

saito

＊＊＊

『稼働する人形』(長谷川美緒／七月堂)の中には、このとき私が読ませてもらった詩が多くある。「紙風船」以外は、収録されている。この「詩集」を手に取れる日が来たことで、その夢のひとつが叶った私は、幸福であると思う。より多くの、新しく読むことの叶った詩たちとも合わせて。

　恐れ多くも、私が序詞と指摘した詩「imperfection」は、この詩集の最後に置かれている。やはりその詩のもつ魔力もあって、この詩集の珠玉の作品たちを、しんがりからきれいに統べているようも感じられる。尚この詩は、有難くもわが『新奇蹟』の第七號（二〇一九年三月発行）にも掲載された詩である。他には、丁寧な影絵による文明的怪談とも評せるような作品「時鳥」が、『新奇蹟』の第六號（二〇一八年十二月発行）に掲載されている。これは『稼働する人形』においてもちょうどその詩集の半ばに位置して、全体の流れを不意に一度静止させるという機能も果たしている、重要な佳品である。

　最後に、詩集の中からひとつ引用させて頂き、ここにご紹介させて頂きます。

八角形のハチノスの中で
丸まって眠る幼虫だった

水と空気の境をまたぐように
ガラス張りの壁を出入りして
おないどしの幼稚園生はみな
社交ダンスを習いに行くのに
わたしだけが眠くてたまらず
埃っぽくてやわらかい部屋の
揺りかごの奥で夢を見ていた

繭を割って羽を伸ばし
食べものを捕りに発つ者たちの脇で
羽も甲殻も針も持たずに
わたしは外を眺めている
蝋のサンプルのようにうつくしく
わたしのものにはならない世界を

　これは「王国」という詩の、前半部である。後半部まで載せないのは、ここに載せるにはあまりにも勿体無いということと、この前半部だけでも、もうじゅうぶんに作者の非凡が伝えられるだろうと思うからである。あるいはより完璧に収斂されていく後半部やその他の詩群たちを、ぜひ実際にその手にとって、ゆっくりとゆっくりとお読みになって頂きたいと、心から思うからである。

　これをご縁に、この詩集に、どうぞお手を伸ばして頂きたいと思うのです。その表紙装画は、本人のものということで、詩人は、出来るだけ少ない色彩を用いて、ここにも白を描いているのである。あるいはその甲骨文字のような鉛筆書きの描線から、その奥に獣の気配を感じることも出来るだろうと思う。――この表紙画もお楽しみに、どうぞ実際にそのお手に取って頂きたく思うのです。

この詩集は、幾つもの大学間を越えて結成されている学生詩人集団「インカレポエトリ」の叢書中の一冊として、七月堂という若手詩人たちに相応しい清麗な名を持つ世田谷の出版社から刊行されたもので、私はまだ七月堂さまにはお邪魔出来ていないのだが、この詩人集団や編集者の中には数人の知り合いと繋がりがあったために、去年、西荻窪のギャラリーで開催された「インカレポエトリ」の展示会には、少しだけ顔を出すことが出来た。その友人も、『新奇蹟』からの繋がりである。またこの詩集についても、美緒さん本人から頂戴することが出来たのは、有難いことである。

どうやら未だ同人文芸誌という、八方塞がりの孤独な表現しかできない私にとって、この少ない繋がりは、ほんとうに有難いものである。今度は『猫橋』という居場所をつくって、どうやらより日の当たらないその橋脚に巣食おうとしているらしい私は、一体どのような成虫に成長していくのか、いよいよ自分でもその羽の模様が不透明になってはきたが、それでもかつての繋がりもふたたび縺れ合って、どのような新しい繋がりがここに生まれていくのか、期待もしている。

このたび、その『猫橋』にはじめての書評を書くにあたって、改めて詩集を通読した。そして改めて過去の交友を思い出し、自らの籠り症の文学性と、一般的世界との没交渉とを、ここに痛感もしている。

そして私は詩集を通読して、新潟の風韻を、あの風の冷気を、思い出した。飯田橋の外濠と澱みと、あの日の寒さを思い出した。安い珈琲と、安い原稿用紙を思い出した。周りを見渡しても誰もいない、まるで世界から覆われたような孤独と、だからこそ確かに繋がれていた、交友の日々を思い出した。それら出会いと解散とを思い出した。――書物は、このような個人的体験さえも自然に内包して形状化していくので、不思議である。

しかし、文学活動の本分とは、こんなところにこそありはしまいか。――そんなことを、ここに書いてみる。やけを起こしているわけでも、書評から逸れているわけでもない。なぜならばこの詩集こそ、自分がひそかに志向してきた文学表現のひとつの松明であり、成功例だからである。私はこの詩集の完成によって、前後にも左右にも、ここにこうして、このように自分の満足する文章が、しっかりと照らされているのを感じるからである。――『猫橋』近辺は、まだまだ暗い。だからこそそれは、より頼れるものであった。

しかしそのような個人的事情はさてお

いても、ごく客観的に、僭越至極ながら、私はこの詩集を、すでに名詩集のひとつだと思っている。これが認められないような世界ならば、とてもつまらない世界だと思うし、もしそのような世界があるならば、いよいよわたしにはその方面の実情はよくわからないということにもなる。――これはいわゆる詩壇の現況というものを批判しているわけでは、決してない（そもそも私にそのような資格はない）。詩的表現をしようとするひとは、必ずやこのような世界との不和という順序を踏まなければ嘘だと思うから、結びとして、あるいは独り言として、ここに言うのである。

　だからまた、つまるところ、おそらくそれで十分に優良なのである。これは詩人に限らず、いま認められていないような表現者にも、きっと同感してもらえることだろうと思う。認められることを目的としていない世界は、自らの生態の、生々しい匂いさえもするその巣窟に眠り続けることによって、日の当たる夢を見る。――そして『稼働する人形』は、その第一詩集としての性格をも、余すところなく、そして綺麗に掴まえていると思うのである。いよいよ蠢動するらしい――というような、その題名の妙も相まって。その人形の目的は、他のどのような世界でもない、自分自身である。

　永遠に満たされないこと。それによって、言葉による王国を築いて、眠り続けること。自分のものにはならない世界でも、八面体の壁面により高い音楽を反響させて、どこまでも反時空的な推進をしようとする。それはたしかに孤独なことだが、嘘のような外側の空気は、自らが育てた大切な言葉と触れることによって、時として懐かしいひとと記憶とを繋げる。いずれまた新しい繭にもなる、綴じられた白絲のかすかな震えによって、繭本や手紙にも似た、時間を跨いだ交信をしながら。

　これが第三の感想である。この詩集は、「玲瓏たる世界」そのものである。

プロモナートレーゼン　i

金曜日、なにかできませんかね。
そんなご相談を馴染みの喫茶店から受けたのは、去年の十一月であった。

よくよく聞いてみれば、その喫茶店のスケジュールはわりと毎日が地域的なイベント事で埋まっているのであるが、金曜日だけが、どうしても手薄なのだということであった。

その頃の私は、読書会に興味を持っていた。興味というよりも、ただただ読書会がなつかしく思っていた。以前はよく友人の主催するものに参加していたが、いまではさっぱりとなくなり、それにその頃はちょうど日々の読書欲が滞っており、定期的な「課題」という力を借りて、強いてでも本を読むことでより良い読書生活の循環を回復したいとも思っていたのであった。

その芝銀座通りという小さな商店街の途中にある喫茶店は、本屋も兼ねているいわばブック・カフェであったから、私はふとした思い付きで、では、読書会ではどうでしょうと提案した。

それから私は「金曜日の活用の為の企画書」と題して、大体こんな風なものを書いた。

×

課題図書

すぐ手に入るもの。忙しくとも読めるくらいのもの。気軽に参加できるできるだけ読みやすいもの。それでいて意外と読んでいないような名作や、課題とされないと読まないようなもの。持ち回り。もしくは募集にて決定。ジャンル不問。

頻度

一時間以内。月一度。金曜日午后。
（ひまな落語家がひまなとき、「読書ご意見預かり番」として常駐し、諸々対応。）

参加費
無料。あるいは、珈琲等注文。

利点
・予算がいらない。リモートでも出来る。
・長期的にのんびり出来る。
・無理なときは、無理しなくてよい。やらない月があっても、まったくよい。
・誰も損はない。
・本を読む機会を与えられることで、読む。新しい知識も得られる。
・本屋さんらしい企画

私の役目
これは落語にできそうか？　など、そんな話題もからめつつ、基本的には参加していただくみなさまのご感想に反応していければと思います。一参加者です。

×

もともと間日の穴埋めであったから、企画はすんなりと通った。会議した結果、テキストは御存知「青空文庫」を使用することになった。すぐにプリントアウト出来るし、それぞれの媒体で好き好きに読める。何よりお金がかからない。このような最中だから、配信も合わせてすることで決まった。

　読書会の司会と案内役は私がつとめるという事になって、私はそこまでの役者は想定していなかったので、ちょっとだけ戸惑った。仕事柄、こういうことが自分に適っているのか、そんなこともふと思った。

　それでもたのしむということを前提に、やってみようと思った。経験が少ないといっても、正式な免許が必要なわけでもないし、そもそもが正統法ではない立場の自分であるから、とにかくこういう活動を続けてみることで、何かを得てみたいと思った。そうなると毎回出席しなくてはならなくなるのだが、これも月一度ならば、なんとかなりそうである。

　それからいよいよ宣伝ということになって、私はブック・カフェ「ココシバ」の店主と相談しながら、こんな手作りの看板を掲げた。

読書会　プロモナートレーゼン

意外と読んでいなかった作品。有名な作家の隠れた名作。それでいて青空文庫で、すぐに気軽に読めるようなもの。そんな作品をひとつ取り上げて、みんなで読んで話し合いましょう。どんな意見が飛び出すのか？　どんなところに繋がるのか？　もちろん自由です。

金曜日のココシバから。飛び入り参加も大歓迎。聞き手進行役は川口市在住の若手落語家・林家彦三氏。その作品から連想される書籍の案内人として、ココシバ書店員・小倉美保氏も登場します。

ゆるっとまじめな読書会。是非お気軽にご参加ください。当日参加できない方も、事前にご感想を募集いたします。ココシバ設置の投函箱か、………@mail まで。

※「プロモナートレーゼン」とは、《それっぽい》造語。
「レーゼン（Lesen 独）」は読むこと、読書の意。
「プロモナート」は、「プロムナード（promenade 仏）」（散歩の場所、広場での演奏会）と「リモート（remote 英）」（遠隔）とを掛け合わせたもの。離れていても、遊歩道のようなひらかれた場所にあつまり、気軽にふらっと参加してもらえるように。ひとつの共通話題をお目当てに、さまざまな人が広場にあつまるイメージで。

ちなみに「プロ　モナト（pro monat 独）」には、「月ごと」という意味もあります。毎月できるかは未定ですが、定期的な開催を目指していきます。

題して「プロモナートレーゼン」。

ちなみにこれには「プロモート（promote 英）」＝本や関連商品や、喫茶店や表現者を「宣伝促進」するという意味もかかっております、非常に高尚なる駄じゃれです。

皆様ふるってご参加くださいませ。
どうぞ宜しくお願いいたします。
初回は十二月二十日金曜日。午後二時から。
今回の課題作品：芥川龍之介「妙な話」
参加費無料。

私が夜なべして考案した「プロモナートレーゼン」という名称は、のちのち、堅苦しいからということで副題になって、この読書会の正式の名前は「月イチ青空読書会」ということになった。私はわが子が不合格になったのがちょっとだけさみしかったが、結果的には、これで大正解であった。

「月イチ青空読書会」――もちろんこれは使用する電子書籍

名称を借りたものだが、まさしく単純明快である。

「青空」という言葉が、まずは良いと思った。遮蔽するものがない。四方八方、開かれていて、爽やかで、ときには風の通りすぎていくような気さえする。

その既存感も、馴染みやすくて、良いと思った。なにより気軽に参加してもらいやすいと思った。「月イチ」というのも、とてもわかりやすい。この方が、全体に丁寧である。わが子はどうやら悩みがちで、頭でっかちのようである。そんなに考えなくていいのだと言ってやりたい。臨機応変。社交性が大事。

そのようなわけで、ぼつとなった理想高々の世間知らずな造語は、罪滅ぼしにこの文章の題名に据えられている。題して「プロモナートレーゼン」。

×

この読書会は、それから毎月実施されている。ありがたいことに、この頃ではだんだんと定着もしてきた。

開催日は、月半ばの金曜日が多い。大体、二時半頃から。

みな、地元の方である。常連の方が多い。参加者の中では今のところ私が一番弱輩だけれども、年齢も職業も多彩である。毎回四・五人ほどである。消毒とマスクは時候柄もちろん必須。配信でも必ず数名は参加して下っているようである。

毎回必ず参加して下さる方もいるし、このために仕事をいっとき抜け出して作業着姿で参加して下さる方もいる。作品に出てくる地名や歴史的事項を毎回下調べしてきて下さり、研究員よろしく調査報告して下さる方もいる。参加者の皆さまはほんとうに頼もしく、そして参加して下さることが自分自身何より嬉しい。

忙しいのはココシバ店主で、参加者のみなさまの飲み物を用意して尚且つ読書会にも参加しなければならない。私は昔喫茶店でアルバイトしていたので、ドリップ式珈琲ぐらいならば淹れられる。たまに手伝う。

ここは蕨市からはみ出て、川口市の片隅である。車が一台ぶんの道幅の、ちょっと目立たない横丁である。それもふつうはなかなか参加しづらい、金曜日の昼である。

みな時間通りには集まらない。お恥ずかしながら、私も早かったり、遅かったり、ほとんど部屋着でどたばた現れたりする。だんだんにゆるゆると集まって、さて、ということになって、好き好きに着席して、はじまりはじまりということになる。

とはいっても、順序も教本もあるわけではない。メソッドも、レシピもあるわけではない。たいていがその場の成り行きであって、誰かが楫を取るわけでもない。(聞き手の噺家がたいへんに呑気だから、おそらくそのせいもあって、ほんとうに面目ない。)

まずは単純に各々の感想を述べることが多い。それから共有するところは共有し、それぞれがそれぞれに感心し、徐々に深読みや細部にも触れられる。

しかしそれからは、まったくもう本文や解釈からは離れて、日々の茶飯事になってくる。この団居の巷談は、いつもの喫茶店と変わらないお茶のみばなしになって、近況報告になって、井戸端の打ち合わせになる。それらひと通りの世間ばなしをしたところで、来月の課題提出者が決まって、あとはもう散り散りになって、もとの生活に戻っていく。

笑いあり、涙なし。終わってみれば、いつもの金曜日である。言葉はすべてさらさらと消えてしまう。せいぜい白い午后の底にいくらか残っていて、グラニュー糖のような甘みを感じるくらい。記憶も足早にどこかへそそくさと出かけてしまう。来る連休の身支度だろうか。

そのくらい、内容があるようでなくて、得るものがないようであって、それでいて役立つようなものでもないのである。それはただただだたのしいというだけなのである。

ひとつの文学作品を読了しているということは、これは確かな事実である。全てがそこからはじまるということも。それでも当月の読書会の頃にはもう先月の事は余り覚えていないというのが決まりで、はじめにその事をちょっとしたお笑いばなしにするというのも決まりである。

さまざまな種類の読書体験や文学受容があると思うが、このようなささやかなかたちが、好きである。少なくとも自分にとっては、いちばん大切にしたいもののひとつである。——帰りみちに、いつも思う。

川口市芝銀座通り商店会一番街の入り口の街灯には、「芝銀座」と鋳造された銀色の看板のその上に、小さな精霊がラッパを吹いている可愛らしい装飾がある。

この街灯装飾は、モニュメントとまでは、とうてい言えない。それが歯車仕掛けで動くこともない。ひと目につかない中空で、鋳物のからだを徐々に経年させていくだけである。おそらくは有名作家のものでもない。わりとどこにでもあるようなものである。

けれども、私は読書会が終わって——帰りみちに、[illegible]

街灯装飾の脇を通らなくとも、いつもこのあどけない精霊たちの造形を思い出す。

×

はじめてのことなので、どうしても前置きが長くなってしまった。

つまりは私がこの記事で書いていきたいことは、この読書会の一年間ごとの報告である。不精な私も、この頃は読書会ごとにメモをするようにもしていて、あとはほのかに香りが残っている記憶を頼りに、自分なりに、一本の麻の紐のようなものを、結びまた繋ぎ、たゆませ、また結び、というような作業をしていきたいと思うのである。

大学時分に、僭越ながらも心中勝手に師事していた尊敬する堀江敏幸先生（ご無沙汰しておりまして申し訳ございませんという心持ちを、不束ながらもここに）の著書『傍らにいた人』（日本経済新聞社）の中に、読書における連想の妙について語られている部分があったと思う。あるいはそれは別の本か、ウェブ上のインタビュー記事の中であったかもしれない。来年までにもう少し再読して、その影を見つけておこうと思う。

私はこの本を、川口駅前の書店で買った。[illegible]の共作である書簡体小説『あとは切手を、一枚貼るだけ』(中央公論社)も、同じくこの書店で買った。どちらも新刊文芸書の棚に、お行儀よく一冊だけぽつんと並んでいたので、私はそれが私のためだけに郵便配達員がこの埼玉南東部のまちまで荒川を越えて運んで来てくれたのではないかしらと幻想した。なぜならばどちらの著作も、それだけの距離を今風には感じさせない、足元からすっかりと濡らしてしまってそれがすっかりと渇くまでの伝達の距離感を感じたから。あるいはつまずきながらもその単行本型の小包だけはできるだけ濡らさないように抱えてやってきたその人こそ、読者としての私だったかもしれない。

この二冊は、私の部屋の本棚に隣り合わせに並んでいる。一冊は、大竹利絵子氏の木彫りの天使――それは天使かと思ったら、少女と小鳥のダンスであった――が、カバー作品として表紙の上部に据えられ。そしてもう一冊は、活字ではとらえきれない拗ねた妖精が夢を見たような、野見山暁治氏の傍点変奏の装画で。

読み流していた言葉の右隣に、じつはあぶり出しの手法で見えない傍点が振られていて、時間の火をかけるとそれが黒い点になって浮かびあがる。濃淡は、めぐる季節によっても変化する。

⁂

けれど私は、ひとりの読み手として、こうした解釈の誘惑からいったん離れてみたいとも思うのだ。読書をつうじて形成された記憶のなかで振られる後付けの傍点の意味を、深追いしないこと。書物のどこかで淡い影とすれちがっていた事実を、ありのままに受け入れること。その瞬間、頬をなでていたかもしれない、言葉の空気のかすかな流れを見逃していた情けなさと出会い直せた不思議を、大切にしておきたいのである。

とりいそぎ、堀江先生の著作の中から一節を引いてみて、あとは〈解釈の誘惑からいったん離れて〉、多くはまた次回に繰り越そうと思う。

『傍らにいた人』は、二〇一七年の三月から二〇一八年の二月まで、日経新聞に連載された五十二篇の随想集である。さまざまな文学作品が取り上げられて、それが空気のように連環して、季節のように移り変わる。その連載の毎回の挿画が、野見山暁治氏。まさしく数珠繋ぎという言葉の通りに、一篇が真珠のように丸く淡く収まっていて、それが均等に連なって音が鳴りそうな気がする、白く綺麗な本。カバーの題名だけが銀色で、これがネックレスの留め具の部分に相当すると思う。それは本文に入ると首元の後ろに隠れるから見えなくなるが、たまにその言葉の裏側から銀色の光を感じる。

先生はこの著書の中で、川端康成のある作品を取り上げて、小説の登場人物は小説内の言葉の動きでこそ生かされているもので、それが実体験に近いようなものでもあくまでも創作上の材料に過ぎず、語り手と作者は一致しない、それは「言葉のつぎに言葉がくる文の有機的な生成とは縁のない話」と書いている。以下にもうひとつ引用するのは、それに続く文である。

> 読者というものは、特定の作家の作品をべつの作品で見知った光景に結びつけて読み解いた気になりがちなのだが、書き手のつくりだそうとする言葉の圏域が、当人の思惑どおり定められることはまずありえない。そんな目算が成り立つなら、書くという行為の不可解な愉楽と怖さを味わうことができなくなるだろう。

書き手が関知しない言葉と言葉の隙間に入り込むのだから、読むこともまた厄介な作業だ。私はもう無理をしない。本を手にしているあいだ、そこに書かれている文字の世界に入り込み、語り手や登場人物のすぐわきで彼らの声を聞き、いっしょによそごとを考え、虚構としての現実のなかで息を潜める。この場合のよそごとは、作者の目論見や語り手の思考とは関係のない、内側の真実のひとつだ。やがて場面が終わり、行文に遅れて、なにが書かれているのかがわからなくなる。しかたがない。そうした混乱をもたらすものこそ、小説や詩の言葉の運動なのだ。

ひとつの作品を読んでいて、あるいは言葉の裏側から、「光景」の文字通りに何かが何かに反射してきらりとした景色が見えることがある。しかしそれははじめからそうなるように書き手が意図的に配置した装置ではなくて、一個の人間という有機体が、〈言葉又言葉〉という有機体に接して、上手い具合に光の入射角と反射角とが一致したときにふと見えるものであって、よってそのやりとりは自由であり、多彩である。書き手も読み手も操作しえない、その余地。よって平等な交渉は不可能である。あるいは〈無理をしない〉のがよろしい。

そして先生はこの文の最後にいったんこのように締め括る——「重要なのは、現場に居合わせることであり、読むことの九割はそれで終わっているのだ。」

よって読書会という方法以前のなりわいは、そこに居ることのそれぞれをお互いに何となく意思疎通してみることで、もといた現実に少しずつ帳じりを合わせていく作業ということになる。それは手先器用なことでもなければ、もちろん煩わしいという性格であるわけでもない。共同体ではあるけれども、共同作業ではないかもしれない。むしろ肉体的な時差を心地良い消閑によって合わせるくらいの、大雑把かつ非労働的なものである。

現実におけるあらゆる季節の変化について消息を尋ねるという方法の中に、往復書簡という方法があるように、会話あるいは談話という方法もあって、それがのちのちどのように有機的に結びついていくのかという視点には、体系的なものはないにしても、面白味はあると思う。小説の登場人物が、小説内の言葉で生かされていくような手筈で。

とはいっても、この場合の現場は、金曜日の午后の、お馴染みの喫茶店である。だからそもそものコンセプト通りに、なんの縛りもなく、ゆるゆるとやってみたいと思うのである。つかの間の青空を感じながら。

書く愉しみと読む愉しみがあるように、それを話し合うという愉しみもまたあるとすれば、それはその域を出ない、まったく単なるものであるとも思う。あるいはその単純をこそ期待をするものであると思うし、それこそが愉しみであるとも思う。

なので今日からまとめおこうとするこの読書会の報告書は、いかにも気分的なものである。——と、いうなればここまでが私の不徹底に対するいいわけなのであるが、少なくとも、「よそごと」を「ただごと」にせず、会話の中にも息を潜めてみて、そしてあくまでも楽しく、徒然に、自由に身勝手に記録したいと思うのである。

私がさきほどただただ「たのしい」ということに傍点を振ったのは、そのためである。この傍点はきっとまた季節ごとに濃淡を変えて、出会いの不思議を見送りながら、そこに居ることで九割方ほっとして珈琲でも啜っていると思われる。無理はしない——それだけでいいのであると、先生のお言葉に倣って居直ってみる。いいわけが長くなりましたが、つまりここにはひとまとまりの視点も、一貫した視点も、それら研究的なものは皆目ないのである。(無邪気なもので、情けない限りです。)

以下、これまでの読書会の簡単な記録と、感想文である。

×

読書会の初回は、二〇二〇年十一月二十日。第一回目となる課題の提出は勧進元の私が任されることになった。選んだのは、**芥川龍之介「妙な話」**。申し訳ないほど特に意図はなく、たまたま別の用事で扱ったので、選んだだけである。

月イチ読書会は、ここからはじまる。しかしそのはじまりは、いかにもひっそりと、噂話のように寒々とはじまることになった。それは冬の銀座通りの、カッフェの硝子戸の中で交わされる会話。この作品の構成は、会話というよりも一人語りに近いが、それでもその語りの向こうには、その時代の雑踏があって、その音の中から聞こえてくる「妙な話」を、われわれ読者はそこに居合わせて盗み聞くという手段で、そこに出てくる語彙の中からも感じ取ることをしていたことは、共通した読書意識だったと思う。

その中でも、もっとも読書会で交わされた話のひとつが、物語の中心ともなる赤帽の存在であった。この赤帽は、読者の視野の中にも、あらゆる不思議をもって通り過ぎた。この赤帽は何者であるか。そもそも赤帽の歴史とは、何の歴史であるのか。

私もこの赤帽にこそ注目した一人であったから、私はその題提出者の責任もあって、洋画家の佐藤哲三の「赤帽平山氏」という絵をたまたま見つけていたので参考に持っていった。その絵は、一人の赤帽が洋装に革靴、そしてゲートルという前知識通りの服装《なり》で、煙管でもって煙草をふかしているという絵である。佐藤哲三は、ゴッホを思わせるタッチで、あの梅原龍三郎もその画力に惚れ込んでいたようである。この絵で国画奨学賞を受賞し、また同じく赤帽を描いた「郵便脚夫宮下君」という絵でも同賞を受賞しているから、この画家は故郷の蒲原平野を描いた画家であるとともに、「赤帽」の画家ともいえるかもしれない。

私は佐伯祐三の「郵便配達夫」が好きで、大阪に住んでいる頃、何度か見にいったこともある。あれはパリ時代の絵ではあるけれども、こういうモチーフは当時の画家の目には写り映えのするものだったのだろうか。ことに日本の洋画家においては、物流の発展とともに出現してきたこの洋装の人影は、さぞ都会的で奇妙な風物であったのではないかと拙い想像も広げてみる。そんなことも話した。

「妙な話」で扱われているものも、やはりカッフェをはじめとした西洋由来の風物であり、マルセイユ経由の異国情緒である。しかし読後感としては、油絵というよりはさっぱりとした日本画のような気がする。芥川好みの幽霊を描き出す点でも、そのような手法の方が合っているとも思[illegible]て河鍋暁斎の如き自由自在の芥川の筆法によれば、こういう表現もお手の物だと思うが、この読書会でもとうとう落ち着いたところは、そういう素材や単語に対する描き方の「妙技」であったと記憶している。

ちなみに芥川は、「僕は僕と同時代に生まれた、あらゆる造形美術の愛好者のやうにまづあの沈痛な力に満ちたゴオグに傾倒した一人だつた。」と、晩年にそのように述懐している。「或る阿呆の一生」の中でも、「或郊外のガアド」の向こうの土手に止まっていた荷馬車を見て、同じ芸術家としての運命を感じながら、長いパイプをくわえた和蘭人画家ゴオグを幻想している。――まるで物語中の赤帽のような現出方法で。（ゴオグというは、ゴッホの事。）

また初回は、蕨市在住で「ゲッコーパレード」の演出家・黒田瑞仁氏も参加して下さった。というのも、そもそもこの読書会が、私が黒田さんを誘ってやろうと思ったのが発端で、それはスケジュール的にもお互いの無理があったのでやめたが、そういう事もあって、話は通っていたのであった。

黒田さんは、「妄想演劇散歩」という、演劇上演における場所と可能性についての活動をふだんからなさっていて、この「妙な話」についても、例えば蕨市周辺においてはどのような場所で上演しえるかということを、用意してきてくれた。それは、赤羽駅構内のカフェに置き換えたらどうか、という演出法であった。構想も細かく、さすが演出家の目線は尋常ではないと思った。金曜日が劇場になって、これには参加した皆がさながら一幕の劇を見るように野外劇を妄想し、駅構内の雑踏と陰影を現代からこの作品の中に投げかけ、この「妙な話」が時代を選ばない都会的な影絵であるということも、共有出来たのであった。

第二回目は、十二月十八日。課題は**ワシントン・アーヴィング「リップ・ヴァン・ウィンクル」(吉田甲子太郎訳)**。アメリカ文学の古典的作品であり、名だたる名作というべきものであると思うが、恥ずかしながら私は読んだことがなかった。参加者の皆さまも、はじめて読む人がほとんどであった。

芥川と比べると賑やかなこの怪談は、今度は実に牧歌的である。牧歌的という表現が正しいかはわからないが、主人公のリップ・ヴァン・ウィンクルは、お人好しで、間抜けで、呑気で、おめでたい人間で、口うるさい女房には頭が上がらず、すっかりと尻に敷かれている従順な亭主で、息子のリップはいたずら小僧で、唯一の味方は飼い犬のウルフだけである。

まさしくこれは落語世界の素朴さだと言及したのは、ひとりの単純なる噺家である。それでも、この亭主が「村の賢人や、哲学者や、そのほかの怠けものがあつまる一種の常設クラブのようなところへ通っては、みずからを慰めることにしていた。」という彼の逃げ場となる「家のそと」の世界は、たしかにご隠居さんや物知りの先生やいつものあのどうしようもない連中がわいがやと集まる床屋の風景にも近しいし、「彼の祖先は、騎士道はなやかなりしピーター・スタイヴァサントの時代に武名をとどろかし、スタイヴァサントに従ってクリスティーナ要塞の包囲戦に加わったことがある。ところが、彼自身は祖先の尚武の気風をほとんど受けついでいなかった。」という描出も、安泰としてきた江戸文化の内実を思わせるところがある。

もっとも、「この物語は、ニューヨークの一老紳士、故ディードリッヒ・ニッカボッカー氏の記録のなかに発見されたものである。彼はこの地方のオランダ人の歴史や、その初期の移民の子孫たちの風習に、たいへん興味をもっていた。しかし、彼の歴史の研究は、文献をさぐるよりも、むしろ生きた人間についておこなわれた。」という書き出しからはじまる民話風の語り口は一貫としていて、それがそのような類似を感じさせるものの一つにもなっていると思う。その物語が、である点でも。

しかしそれが落語や昔話とは異なり、やはり文学作品としての読後感があるのは、翻訳とはいえどもその描写や構成の妙があると思う。山の中に突如現れる円形劇場でナインピンズなる遊戯を興じている謎の人々の辺りの描写や、あるいはこの神隠しにあった愚かな亭主が変わり果てたもとのまちに馴染んでいく辺りの描写。

私はまだ見られていないが、同名の映画に言及する方もいた。それを発端にちょっとした映画批評へも時空旅行し、はたまた物理学用語である「リップ・ヴァン・ヴィンクル・エフェクト」に言及する方もいた。あるいは前回は佐藤哲三の油絵を参照したが、今回はアーサー・ラッカムの挿絵について触れられた。ニッカポッカがこの作者に由来するものという事実には驚き、これは赤帽のゲートルと服飾談議における好対照をなした。このアメリカの名作短編は内容もさることながら、あらゆる異界にトリップするための切符にもなったのであった。

この課題を提出して下さったのは、地元の読書家のお父さんであった。この読書会のテーマにぴったりで、まさしく名作で、読む機会のなかったもの、それも二回目で翻訳文学を提案する辺りはさすがですね——と、皆で感心し称えたら、いや、青空文庫の五十音順でいちばんはじめにあったのがこの作品だったから、それてただただ選んだのだという落[illegible]がら一同で笑って、このウラシマ騒動の一件は落着した。

現実から逃げたいときには、酒壜から一口の酒を飲むことがいちばんだという、われら好人物の庶民的処世術の結論とともに。

年が改まり、はじめての読書会課題となった作品は、**室生犀星「不思議な国のはなし」**（一月十五日）であった。東京から、ニューヨーク州、そして金沢という旅路。

北陸への旅行についての話題になれば、私は金沢の室生犀星の生家には行ったことがあったので、そんな話をして、犀星の文体が優しく女性的であるという指摘が出たときには、すかさず彼の可愛らしい草稿の文字についての趣味の話をしたりした。こういう表面上のおしゃべりも、読書会のたのしみである。

この作品の初出は大正十一年、当時の童話雑誌のようである。子どもの読み物にしては、鮮彩な表現が随所にあるということは、共通した意見であった。前回の英米文学の影もあって、ルイス・キャロルの「不思議の国のアリス」との題の類似の指摘もあった。この邦題が日本ではじめて使われたのは昭和に入ってかららしいので、おそらく関係はないと思われる。ちなみに芥川は菊池寛との共訳をしている。その邦題は「アリス物語」。

余談になるが、前回課題の訳者である吉田甲子太郎は、マーク・トウェインの「トム・ソーヤーの冒険」やキップリングの「ジャングル・ブック」も訳している翻訳家である。群馬県出身で、早大の英文科卒。あれからちょっと気になっている。青空文庫内でも、もう少し読めるものがあるようである。

翻訳文学に限らず、前回、前々回を通してその言葉の向こうに感じてきた「異国性」は、今回はまた違った形相を現すことになった。まさしく偶然ではあるのだが、それはもちろん怪談という点でも、今回はその怪奇が、決して文脈上の装置としては用いられていないのであった。

「山という不思議な、まだ私たちの見たことのない国に、何かしら私たちに近いものが住んでいるような気がしました。そう言っても天上の星族になお私たち人類が生息しているというような想像よりも、ずっと親しい問題だったのです。」（本文より）

不思議な国は、山の奥にある。医王山。いおうぜん、と読む。両白山地北端に位置し、石川県と富山県の県境にある。標高九三九メートル。山中には薬草が多い、とうことは、本文でも触れられている。

作品の構成は、姉が「私」にものがたるという点では、「妙な話」にも通ずるものがある。そしてそれが山中の不思議なものがたりであるという点では、「リップ・ヴァン・ウィンクル」にも似た点がある。しかし前述した通り、全体の印象は、まるで違うものである。

話法という、異国へのひとつのトリップ方法が、今回はより直接的に生々しく、そして虚構性が妙に薄いのは、それがおそらく血の通った記憶があるからだろうと思う。都会風、あるいは牧歌風とは単純には類型のできないこの物語は、それがもし教育のための戒めの訓話としても、まだどこか腑に落ちないものがある。もちろん、例えば「妙な話」と同じように、読書会ではこの物語について、とくに娘を失った父とその顛末について、あらゆる推測が行われた。しかし、それよりもより話題になったのは、それぞれの故郷の話や、民話の記憶であった。私も生まれ故郷が山で囲まれた田舎であったから、そんな話をしたと思う。正月の気分もあっただろうか。

その時私ははちょうど映画の「楢山節考」を見たばかりだったので、あるいはそんな民俗学的らしいことを少しだけ発言したような気もするが、それは全く覚えていなくて、むしろ全体がしんみりとした感じの読書会であったという事だけは、その肌の質感の方はしっかりと覚えている。それはその作品の「解釈」よりも、そこに「居合わせる」ということによって幾分かのするその待ち合わせ場所が、大正期の銀座や独立戦争後のアメリカではなく、「青い名なし草」が生い茂るなつかしい里山風景の只中だったからかもしれない。

悲しみを描くには、単に悲しいことを描く必要はないようで、例えば山麓の姉弟の会話というこのような淡々とした物語でも、そこに澄んだような悲しみがあれば、きっとそれぞれの故郷の話を呼び起こし、それぞれ記憶を呼び起こし、それら言葉の狭間から、それぞれの光景を垣間見ることができるとのだ思う。そして**金《キム》史《サ》良《リャン》「光の中に」**（二月十二日）は、そういう種類の光を編み込んだちいさな物語の結晶として、単純かつ端正に、その声と風景とを綺麗に捉えた作品であると思う。

あえて綺麗という言葉を用いたのは――言葉だからである。それがつまるところのある種の文学であるとも、稚拙ながらも思うからである。もちろん現実はそれほど綺麗ではないし、綺麗事では済まされないということもわかってはいる。けれどもわれわれは、時に、もうどうしようもないというような、そんな感情になることはないだろうか。やりきれない。やるせない。いたしかたない。それは子どもが大人の世界に対して抱くあの無力にも似た感情にも近い。あらゆる暴力は前面に出ない場合でさえも、眠りながらも息づいている。そういう記憶は、誰にでもあると思う。

この作品は、第十回を数える芥川賞の候補作にもなっている。この回の受賞作は、寒川光太郎の「密猟者」。織田作之助の「俗臭」も、同じ候補作であったようである。

金史良は、日本語と朝鮮語の両方で創作をした作家である。一九一四年に平壌で生まれた。大学ではドイツ文学を専攻していたようである。私は作品を読んでからこの作家について非常な興味を持ち、「光の中へ」も収録されている講談社文芸文庫の作品集を古本で探したら、これがなかなかの値段で諦めていたところ、前回の課題作品の提出者で毎回参加して下さっているNさんが、購入できる著作の情報などを調べて有難くも教えて下さった。またいずれその情報も活用して読み進めてみたいと思う。

今回の課題提出をして下さったココシバ店主は、その理由について、在日朝鮮人文学に個人的な興味があるからということであった。川口市・蕨市は移民も多く、この書店はそれら関連書籍やイベントも多い。

しかし、私が今回この作品を読んで率直に感じたものは、それは本を語るときに社会的背景よりも主に文体の方面からしか物事をいえない私の弱みでもあるのだが、この日本語のものがたりが、ただ単純に「うつくしい」ということであった。文体論しか広げられない読書会ホスト失格の私は、それでも今回はこのことだけはしっかりと発言しようと思って、発言した。

日本語を母国語としない作家の日本語は、例えば翻訳文学が新しい語彙や表現を翻訳の文体によって伝えるように、その独特の文体によって伝える。そしてその独特は、この作品においては、見かけにはまっさらで、感じられないだろう。しかしこの日本語の連なりは、どこまでもていねいで、やはりうつくしいとしか言えないのである。

むずかしい言葉では上がれない階段がある。それは決して隠し階段ではなくて、本作で登場する上野公園の石段である。何処へいくかといえば、それぞれの目的地に行くだけである。

言葉のひとつひとつに、たしかな光を感じた。こういう読書体験は、個人的にもあまりしたことがなかった。語彙も、比喩も、ていねいに、光の中へ、光の中へ、ずんずんと進んでいくのである。

私はこのところ、ある方から貰った八木重吉全集を読んでいる。思いつきのようでふがいないのだが、どうしてここにいま関連されて思い出されるのは、「おほぞらを／びんびんと　ひびいてゆかう」――という、八木重吉らしい、これだけの詩である。

この作品全編を通して私が感じたものは、ただただそういう言葉の階段であった。われわれ読者も――金曜日のちいさな喫茶店も――とても静かであった。まさしく名作を見つけたという風であった。まさしく、青空読書会という気もした。

ふとした読書から、もうひとつの現実が、ふと銀色に輝いて、それが実際に頬をなでる風のようにも思え、その言葉遣いも、当たり前ではあるのだが、裏返されたものであることを忘れて、かえって表向きになって、単純にそれが同じ世界に並列しはじめてくることで、日常がもとのとおりに均されるような気がする。なんだ、異国は、こんなところにもあるのだ。

×

次回の読書会は三月十九日で、課題は岡本かの子の「鮨」に決まった。ここからはまた次号以降、まとめていこうと思う。そうなると十二ヶ月分になるわけだが、忘れないように毎回こつこつとメモをして、記録しておきたいと思う。

そして最後にここにもうひとつ、報告しておきたい事がある。それは去年の同じ頃に、同じく誘って頂いた読書会のことである。それは演出家の黒田さんが主宰するもので、会員制のようなかたちなので一般の参加はないのだが、少しだけここにご紹介させて頂きたいと思ったのは、「青空月イチ読書会」と合わせて、それが私にとって大きな体験のひとつであったからである。

その読書会は「戯曲会議」という名称で、戯曲作品を読み進めるというもので、その読み方も事前に黙読してくるのではなくて、当日に分担して、そのテキストを声を出して読むのである。それはいわゆる本読みや演技でもなくて、ただただ訥々と読むのである。長いものでは、三時間から四時間かかる。

しかしその分、読後感も、共有する世界観も大きい。また実際に声に出しているためもあるのか、肉体の心地良い疲労の感覚が違う。

これまで扱った作家は、チェーホフ、ルイジ・ピランデルロ、別役実など、なかなか渋い。福田恒存の「キティ颱風」を数時間かけて読破したこともあるという、骨のある会である。

私は参加してからは、田中千禾夫「マリアの首」と飯沢匡「五人のモヨノ」を読んだ。そして耳で聞いた。それは新しい経験だった。私はこれまで演劇は見てきたけれども、読むということはあまりしてこなかったので、こうして改めて非凡な作家たちの戯曲を読むという作業は、まるで大胆に見逃していたものの輝きの一端を得るような心持ちであった。戯曲の読み方というのがあるわけではないと思うが、それでも以前よりは格段に慣れた。あるいは他ジャンルの方が多く参加をしているグループだから、ふだん小さな世界の内輪にいる私は、その点でもたのしい刺激を受けた。

個々の作品は感想を述べだすとまた長くなるから、割愛させて頂く。

有難いことに、いつか何かの課題を出すように相談もされているから、その時は『志ん生廓ばなし』の辺りから、ひとつ提案してみようと思う。演出家や俳優、演劇界隈の人たちに、その落語速記が戯曲台本としてどう読まれるのか、私は今から浮き浮きとしている。

×

この読書会で、今年に入ってから黒田さんが提示してくれた読書素材が、「人形芝居ファウスト博士」であった。のちに大文豪畢生の劇詩をはじめとしたあらゆる霊魂の派生を生み出すことになる、その母胎のようなものである。

私は黒田さんが主宰する「ゲッコーパレード」の山形ビエンナーレ2020の参加作品で、山形の山なりや塵界の息吹が、その霊魂の形代《かたしろ》としてそのまま表現されたような演劇映像『ファウスト』をココシバの上演会で見ていたから、これが課題になったことについてももちろん不思議はなく、むしろドイツかぶれらしい私は、正直これが読めるのが心底嬉しかった。そして期待はまったく外れずにこれが覿面に面白く、あるいはそれは緞帳芝居風の昔がたりをこそ好む私の趣味も加担しているのではあるが、この古い人形の関節が懐かしく軋むような風情には多く惹かれるものがあった。

これ以上の感想については、ここでは主旨ではないのでやはり割愛をさせて頂く。というのも、このテキストは国書刊行会の『ドイツ民衆本の世界3　ファウスト博士』に拠っていたのであるが、そのあとがきを読むと、これには藤代幸一先生が関わっていることが知れ、またこれは十五・六世紀のドイツの安価な庶民的読み物である〈民衆本〉を集めた全六巻のシリーズなのであるが、この責任編集者こそまた先生であったのである。個人的なものではあるが、この偶然には、はっとさせられた。

藤代先生はむかしからの寄席好きで、ある鎌倉の落語会に来て下さったご縁でお知り合いになり、それからお会いするたびにご懇意にさせて頂き、また文通などもして頂いていたのであった。先生のご専門は中世ドイツ文学で、中でも「笑い」はひとつのテーマであったようである。私は先生の書いた本をまだまだ一部分しか読めていないが、未熟者ながらもこれからも少しずつ読み進めたいと思っている。

先生は、去年の一月にお亡くなりになられて、私はもっともっとお話したかったのであるが、くやしく、それでも先生の残した著作を読むことで偲びながら、先生の言葉づかいを追うこともある。

しばらくして、奥様から、小包が届いた。それは先生の蔵書の一部であった。私はそれが嬉しく、今でもまとめて本棚に並べている。いつの日かお金ができたら、先生も訳出しておられる『ドイツ民衆本の世界』全六巻を買って、隣に並べたいという夢がある。

藤代幸一先生。ご冥福をお祈り申し上げます。
送って頂きました蔵書は、大切にいたします。

×

振り返ると、ひとつの作品とひととのつながりが、大きなリレーとなって感じられるような一年であった。偶然誰かの選んだ作品が、また違う偶然を呼んできて、それらがつながって並列して競い合うように。あるひとの蔵書が、またあるひとの蔵書となって受け渡されるように。

中原中也は、二日酔いを「千の天使が／バスケットボールすると表現したが、どうしてもしらふで執り行われるこの月ごとの午后の追いかけっこは、これからどういう言葉の徒競走が、あるいは運動が、青空のもとに広げられるのだろう。天使とまではいわないけれども、せいぜい芝銀座通り商店街の街灯装飾ほどの精霊は宿ってはくれまいか。そういう何かが見守っているような、ちいさなものが降ってくるような、そんな心持ちでいる。

あるいはこのところ自宅で冬眠をしていたような時期も長かったから、いよいよ春に向けて、そんな前向きな気分もあるのである。

私はいま、八木重吉の詩集を読んでいることは前述した。そして重ねての不精で申し訳ないのですが、それでも最後に、有名な詩句ではあるけれども、ここにこんな詩を引いてみたいと思う。

花がふつてくると思ふ

花がふつてくると思ふ
花がふつてくるとおもふ
この　てのひらにうけとらうとおもふ

来期以降も、この金曜日に、定期的に[illegible]私の手は、まったく不器用で拙い手ではあるけれども、これからも月ごとに、それらつぎつぎに降ってくるようなものを、「うけとらうとおもふ」。

正書法が表記ゆれをした、そういう淡色の期待がある、令和三年の春である。

活動報告　２０２０－２０２１

林家　彦三

この雑誌が二〇二一年五月の発行に間に合わせるように企画されたために、わりと準備の時間がなくなってしまい、それでも「はなしか」の原稿がひとつでもないと寂しいので、とりあえずは今年度の活動報告と来期への抱負ということで、ここに自己主催の会など主な活動を取り上げて、まとめておきたく思います。

来年五月には頓挫しない限り「猫橋」の第二巻が出るはずなので、そのときにはもう少し踏み込んだものを用意できればと思います。

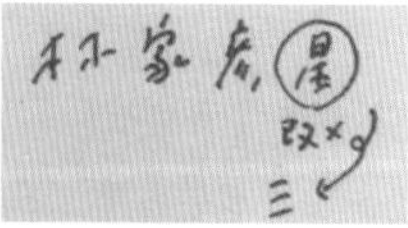

二〇二〇年

五月二十一日

二ツ目昇進。前座名「彦星」改め「彦三」となる。

本来は寄席にて二ツ目の披露目の予定であったが、コロナ感染症の為

に寄席は休席。自宅で二ツ目を迎える。その後、六月一日から寄席が再開。

八月二十九日
川口市の重要文化財旧田中家住宅にて、着物研究家で呉服屋店主の猪上勝也氏と一緒に、「旧田中家で四季を知る　林家彦三　落語の集い」の第一回目を開催。
猪上先生は、自らの茶道の先生でもあり、普段から深い親交がある。
季節ごとに服飾関係のテーマを設けて先生が講義、対談。先生の博識が好評。

十月十三日
池袋の自由学園明日館にて、毎回会いたい方に会うというコンセプトの勉強会「明日會」の第一回目を開催。初回のゲストは、学生時分からお世話になっている落語研究家の宮信明先生。大阪に生まれ、慶應の文学部、立教の院、早稲田の演博に至るまでの経歴、そしてフランス文学から三遊亭圓朝の研究者になった経緯などをお話し頂く。

十月三十日
足立区舎人のカフェ・マルシェにて、第一回目の月例会を開催。
ゲストに少年ピアニストの佐藤翔さん。
また地元の表現の方々にも、ご協力を頂きました。

十一月十二日
下北沢の本屋B＆Bにて、文学作品を落語にする試みである「文藝噺研究所」を公演。演目は、芥川龍之介の「仙人」「妙な話」。対談ゲストはサンキュータツオ先生。実験的な試みではありましたが、またやって欲しいというお声も頂き、毎年やる予定。タツオ先生にもお励まし頂き、専門の内田百閒の事や、ヌーヴォー・ロマンに傾倒し平岡篤頼先生に師事していた学生時代から、現在の活動に繋がるまでの事などをお話し頂きました。

十一月十四日
西川口のクラフトビール醸造所GROW BREW HOUSEにて、落語ナイトを開催。

十一月二十九日
第二回目となる「旧田中家で四季を知る　林家彦三　落語の集い　～秋～」を開催。
人数制限のため、二部制とする。多くの方にお越し頂き、リピーターの方、地元の方や遠方の方、また幅広い表現分野の方にお越し頂き、感謝の日に。

十二月二十日
草加市の文化施設「漸草庵」にて、朗読家のなみ氏と一緒に草加市ゆかりのドナルド・キーン先生の著作などを参考に松尾芭蕉の「おくのほそ道」を読み進める落語と朗読のイベント「幻草文学」の第一回目を開催。繋がりができ、個人的に一ファンであった北極冒険家の荻田泰永さんがお越しくださいました。草加市の方々とも繋がりができ、ご協力をくださいまして、地域に寄り添った会になりました。

十二月二十六日
第二回目の「明日會」を開催。ゲストはコントラバス奏者の河崎純氏。河崎さんの共同作業者であるダンサーの亞弥さんのご縁もあり、「〈風紋〉回顧　一日遅れのメリイクリスマス」と題して、太宰治と縁の深かかった新宿の文壇バー「風紋」を取り上げ、太宰治作「メリイクリ

スマス」を落語とコントラバスで表現。亞弥さんは、「風紋」で働いていました。
太宰治関連の本も出版している出版社パブリック・ブレインの山本和之氏もお越しくださり、後日には出版社の読書系・アート系フリーペーパーの「Day Art」にてこの会を記事にもしてくださいました。「風紋」関係のお客様にもお越しいただき、嬉しい日に。

二〇二一年

一月
緊急事態宣言の影響などもあり、自己主催の会は中止。「猫橋」計画発起。

五月（予定）
五月には本誌「猫橋」が発行予定。同十六日、「書肆カッツェンステッヒ」として文学フリマ東京に出店、販売する予定。
現在は、蕨市との繫がりから絵師・河鍋暁斎の紹介と広報活動を行う皆さまから依頼され、暁斎を伝えることを目的として伝記風の落語を創作中。蕨市には、河鍋暁斎の美術館がある。

また同じく川口市にて芸術振興の活動等を行う若手美術作家の団体であるアプリュスとの繋がりから、赤山城関東郡代伊奈氏をモチーフとした落語も合わせて創作中。

ここでは一部分だけ取り上げましたが、他にも早稲田大学の講義「短詩型文学論」にて、落語の担当を受け持たせていただき、伊藤比呂美先生にお世話になるなど、コロナ禍ではありながら様々な経験の出来た一年でした。

二ツ目になり、とりあえずのホームページとしてはじめたnoteを通しても繋がりができ、脚本家の今井雅子さんにはご感想なども頂き、また実際に会にもお越しくださいました。

また友人関係から繋がり、主に動画コンテンツの制作をしてくださることになった株式会社ギリアムの北島社長、動画スタッフの大江くんとは共に行動することが多く、慣れないながらも新しい挑戦をする場を与えてもらいました。今も継続中です。

前座時代から知り合いの蕨駅徒歩五分（住所は川口市）のブック・カフェ「ココシバ」の皆さまとは、二ツ目になってからよりぐっと距離が縮まり、日頃会議にも参加するなど、時にはすっかりと入り浸ってご迷惑もおかけしておりますが、今でも大切な場です。繋がりの場にもなっており、河崎純さんやなみさんとは、ここで知り合いました。

この「猫橋」についても、ここが本拠地です。小倉さん、吉松夫妻、いつも有難うございます。

　またここにはどうしても書ききれませんが、本年度お世話になりましたみなさま、誠に有難うございました。

　振り返ってみれば、川口市・蕨市・足立区舎人・草加市など、いま住んでいる近くで主な活動やご縁が広がり、まずは土地に根差した活動を志向していた身としては、一年を通して地域性を感じることができ、嬉しい成果でした。逆にいえば、もっと都内でがんばらないといけないのかもしれませんが、今のところは近くでこうして小さいながらも何かできたり繋がりが持てるということだけで、十分と思っております。


　自分の色を出し、あるいは出そうとはした、そしてその場所は作れたと思う一年でした。しかし当然ながらその中で、実力不足を痛感せざる得ない一年でもありました。

　よって二ツ目二年目の目標としましては、何より落語のネタをコツコツと増やし続けること、とりあえずは、ただそれだけです。新しいことや華やかなことはあまりせず、地道に地道にやっていきたい気持ちでおります。

　つまりは、より師匠についていきたい、その一言に尽きます。

以上、甚だ不精なる報告と抱負でした。

いずれは本誌にて文芸と落語についての諸々を書いていきたいと思っております。

さいごにもうひとつ、目標。

落語家としての宣材写真を撮ってくださっている写真家の武藤奈緒美さんに、近々、文学と落語をモチーフのとした写真を撮ってくださることになりました。これはこれは、本当に、とても嬉しいことです。

次回の「猫橋」誌上にて、恥ずかしながら掲載させて頂く予定で、目下の目標としましては、その被写体として恥ずかしくない努力をしていることとです。これはなかなか難しいことだと思われますが、そうでなくともきっと武藤さんならば、間違いなくとっても良い写真を撮ってくださると思いますので、わたし自身も今からたのしみにしております。

出会いの一年でした。それが、結論です。

林家彦三という新しい名前にも出会いましたし、齋藤圭介氏という、いまだ良く分からない友人にも、ここで再会しました。次年度以降も、ご縁を大切にしていきたく思います。

紙面に限りのあるため、多く割愛いたしますことご了承ください。

連載

書肆カッツェンステッヒ（一）

○はじめに

まず、「カッツェンステッヒ」とは、何であるか。

これをアルファベートにいたしますと、〈Katzensteg〉――内訳は、〈Katze〉が「猫」、〈Steg〉が「小橋、または歩道橋、桟橋」――つまりはこれがドイツ語で「猫橋」ということになる。

これは本来の発音だと〈シュテーク〉あるいは〈シュティーク〉と表記した方がおそらく正確であろうと思われるが、どうして〈ステッヒ〉ということにしたかという理由と謎とをまずははじまりにして、この雑誌の続き物の読み物として、ここにこの連載を起筆してみたいと思います。

ちなみに猫は女性名詞なので、〈die Katze〉ということになる。〈Katzen〉の〈n〉は、合成名詞をつくる〈n〉で、猫の複数形〈Katzen〉と同じ形である。名詞が二つ以上で出来ている語の場合は定冠詞は最後の名詞の性に一致させるから、〈Steg〉が男性名詞であるために、つまりは〈Der Katzensteg〉となって、本誌表紙やロゴマークに仰々しくも登場するということになる。

わたくしのあさはかなドイツ語の知識で説明をすると、そうなる。間違っている場合は、有識者のお方にご一報願いたく存じます。

不束者ながら、学生時分はドイツ文学科であった。今でも好んで読書するものは、ほとんどドイツ文学の作家である。

その私の卒業論文が、ある無名の大正期の詩人で、ひとまずここでは名は出さないが、その詩人はドイツ文学の翻訳もしており、その詩人が死没する直前まで続けていた仕事のひとつが、ドイツの自然主義作家ヘルマン・ズーダーマン（Hermann Sudermann 1857-1928）の小説『猫橋』（原題：Der Katzensteg）の翻訳だったのである。彼はこの仕事を脱稿した数日後、最期を迎える。

私はいまだにこそこそと、この詩人の研究を続けている。ほんとうに、こそこそと。最もこれは学生時分からそうで、なかなかこの詩人の知名度がなかったために、私はつねに広言せずに自分の秘密のようにして大切にこの詩人と向き合ってきたのであった。

それが自分にとっての、ある種の癒しであったのだと思う。そういう性質の私であり、またそういう性質の詩人でもあるから、ここでは、ひとまず、このくらいのご紹介に留めておきたく思います。

川口市芝で「猫橋」なる橋を見つけたときも、正直私が最初に思い出しのが、この翻訳小説『猫橋』のことであった。そしてこの雑誌の名をこれと決めたときも、出版の打合せではわざわざ言わなかったものの、この詩人のことやドイツ文学のことを、内心ひそやかに意識していた。

しかし私は、まだこの古いドイツの小説を読んでいない。それでは在野の研究者として失格とも思われるかもしれないが（あるいは成績に対しても、傾倒や流行りに対しても、そもそもが失格の連続でこのようなところまで辿りついたのではあるが）、私が卒論で扱ったのが主に同時代の作家との関わりにおける彼の詩作活動においての再評価であったので、短い生涯ではあったが寡作とは言えないこの詩人の隅々までを読むことは叶わず、全集を買えるお金はなかったし、そもそもその全集が全てを網羅しているわけでもなかったが、中でも彼の翻訳小説までは、どうしても読めていなかったわけである。原作のあるものよりは、まずは彼の書いた作品が優先すべき第一の資料であった。

それでも新潮文庫の「第三百八十八編」昭和十七年五版の古色蒼然たる文庫本の、彼の訳したズウデルマン著『猫橋』は所有していて、冒頭ぐらいまでは目を通していた。

少なくとも、私はこの翻訳を、精読はしていない。というのも、これがなかなかの長編なのである。内容もナポレオン戦争下のプロイセンで繰り広げられる昔様の物語であるから、骨が折れる。だからこのふとはじまった連載の圧力も借りて、彼の訳した『猫橋』を毎回少しずつでも読み進めて、簡単な感想などをまじえてこの連載で紹介しようと思ったのが、まずはひとつめの動機である。

そういう地道な作業は、嫌いではない。しかし無理でもやろうと思わなければ、やらず仕舞いになろうとも思う。それが猫橋誌上という故意なる偶然も良いと思ったし、そのようにして無理やりにここで連載を持つことで、それがついでにひそやかなる研究の成果にもなるわけで、いわばお誂え向きとも思ったのである。

彼は『猫橋』の他にも多くの〈獨逸文學の翻譯〉をしているから、そういう今まで手の届かなかったものもここで取り上げてみて、自分なりに記録しておくことで、良い勉強にしていきたいという企みもある。もちろん手隙の時に、愉しみつつ、引き続きこそこそと。

ズーダーマンの「Der Katzensteg」は、戸張竹風が『賈國奴』として抄訳したのが、日本では最初のようである。あの田山花袋も一部分を訳しているようで、そしてその邦題こそ、「カッツェンステッヒ」という表記なのであった。（この表記を連載に採用した理由は後述。）

フリードリヒだとか、ハインリッヒだとか、そういうドイツ語のイメージが関連して、このような誤記になったのか。そもそもこれは誤記なのか。〈Steg〉が早く読まれると語尾の発音が消えるようになるから、「ステッヒ」ということになるのか。はたまた時代のものなのか。そういえばその麗しい題名だけで岩波文庫の薄い背表紙に手を伸ばしたくたる、あるいはその妙に小気味の良い語気と語の尺が喚起する浪漫風な燻りこそが、日本におけるロング・ヒットの一端として作用しているのではないかとすら思えるヴィルヘルム・マイヤーの戯曲『アルト・ハイデルベルク』も、昭和十五年、太宰治がその名を拝借して短編を拵えたときには、その表記は「老《アルト》ハイデルベルヒ」となっている。

太宰はのちに竹村書房という出版社から同名の短篇集を出していて、その序文を読むと自らが題を決めたことも伺い知れるので、彼はこの短編をかなり気に入っているということを書簡では実際に残しているが（筑摩文庫『太宰治全集3』の解題を参照）、太宰はまた合わせて、この作品の題名を（あるいはその詩的語感を）われながら気に入っていたのではないかと、私は憶測する。彼がその序に曰く、「人間は誰しも、思ひ出のハイデルベルヒを持つてゐる。著者のハイデルベルヒは、この一巻の中にある。」——ちなみに彼における思い出の古都は、東海道三島。そこは若き日の作家が一ヶ月滞在したまちである。太宰が他に竹村書房から出している単行本は、『愛と美について』『皮膚と心』——いずれも彼好みの書名だと思う。

木っ端の火ともとれる浅はかな論点かも知れないが、マイヤーの『アルト・ハイデルベルク』の場合にも、よく言われるところの旧套さえも払拭し——というよりも、より効果的に助長させているものは、作品の内側ではなくて、作品の外側にあるもの——まるで貨物船舶に積まれた輸入品の林檎箱の外面に、仕分けのために焼き印された簡単な文字や番号が、それだけで異国の地理を感じさせるように—— それはたまたま日本語で読み直されただけの邦題による、その絶妙なカタカナの羅列が生むひとまとまりの気風によるものではないかと思うのである。燐寸の火か、ライターの火か、ただそれほどの空論ではありますが。

太宰治はこの異国の音が、可愛らしくこごえる、あるいはまさもっぽく拗ねるときの、その無理を逆手にとってそこにある種の感情の煙を焚きつける着火の具合の妙にうまくて、名文家というよりもむしろ饒舌家の彼のことだから、こういうある種の詩的な話法センスについても、随所に意識的に用いていたのではなかろうかと、私は勝手に予想している。特に、その題をつける場合には、〈耳がいい〉太宰はこのような手法を使うことが稀ではないと思う。『老ハイデルベルヒ』の他にも太宰の単行著作には、『新ハムレット』があり、『ヴィヨンの妻』がある。作品としても、初期には「ダス・ゲマイネ」があり、晩期には「グッド・バイ」がある。そして「フォスフォレッセンス」が、何よりもそうだと思う。しかしこの音に敏感になりすぎると、そもそもが空疎な感覚だから虚しさがある。つまるところ、「トカトントン」ということにもなる。

　話が少し逸れてしまったが、ともかく異国語がこわばったような名詞の音とその受け手を結ぶ小径には、誰も転ばないし転ぶ必要もない一文字ほどの落とし穴があるまいか、という閑話。

　ギョエテとは俺のことかとゲーテ言い――というくらいだから、大文豪でも何十の仮名を彷徨っていたこと考えると、こういうことは日本語の無理として当然に生じることではあろうし、〈8〉か〈11〉か、どのみちただそれだけの些末な問題ではあるだろうけれども、自分の語学知識ではどうにもわからないので、私はいずれ大学の先生に聞きに行こうと計画している。この無知暴虐の卒業生が俄かに研究室に現れ、このような川柳公案、これ如何にとしはじめたら、驚かれると思うけれども。

　この田山花袋の「カッツェンステッヒ」を巡っては、あの吾輩ハ猫デアルの先生も、ちらと顔を出したりするのである。そのような芋蔓式に繋がっていく文章についても、『猫橋』の翻訳者の勉強成果とも合わせて、できればいずれこの連載の中でつれづれに取り上げていきたいと思っている。（それが何のためにと訊かれると決まりが悪いのですが、もう自分の趣味としかいいわけしようがない。）しかし今回は、ひとまず、この辺りで。

　こそあど多用の恐縮な文体ですが、とにかく、そのような趣向がひとつ。

○次に

次に、「書肆」とは、何であるか。

私ははじめてこの語彙を意識した日のことを、覚えている。『新奇蹟』という学生同人誌をやっていた頃である。その雑誌は、大正期の同人誌文化の復興を若気の至りで標榜し、できうる限り形式上においても模倣を試み、その結果、売行き不足や貧乏生活までお行儀よく踏襲したなかなか優秀な同人文芸誌であったが、その資金調達のために身近なところから巻末広告の出稿主を探して、いくらかの支援をお願いし、宣伝効果が薄いにも関わらずこれには様々な方がご協力くださり、例えば呉服屋、探偵、地方の町医者、企画のまま企画倒れになった新進企業など、その業種も多彩であったが、雑誌の終わる頃、ある繋がりからこの広告主になってくださった、一軒の古本屋があった。

その古書店は、向島の鳩の街の跡地にあった。もとの赤線地帯である。荷風散人御用達、いわゆる私娼窟の「玉の井」にもほど近い。今では童話風の小体な建築が立ち並ぶ商店街になっていて、その古書店は、ちょうどその入口にほど近いところで、もとは八百屋か煙草屋か、可愛らしい白と緑のテント風の庇を日蔭がちの隘路に向かって遠慮するように嫋々《しなしな》と迫り出していて、その様子はスケッチの向日葵のようにさっぱりとしていた。

本も揃っていた。少なくとも、自分好みであった。私はここで『魯迅選集』(青木文庫)や『巷談本牧亭』(旺文社文庫)などを買った。ここで古本を買うと、髭文字《フラクトゥーア》でIndulgentia（ラテン語で贖宥状の意）と印刷され、書物や髑髏の絵と一緒に「愛書家　無罪」と手書きされた「積読免罪符」なる手作りの紙片が必ず貰えた。これは栞にもなった。処も合わせて、小粋な古本屋であった。

知の国からやってきたような丸眼鏡の店主は、いつも上品な出立ちで、茶色の骨董風景の只中に座していても、つねに爽やかであった。古本業には珍しく若いお方であった。店主には広告主になって頂いただけではなく、この店で『新奇蹟』も販売してくださるということにもなって、その場所柄にも関わらず、これがけっこう売れたのである（けっこうと言っても数冊なのであるが、これは同人にとってはかなり有難かった）。

その書店の店名が、「古書肆右左見堂」と云った。右左見堂は惜しいことに、一昨年閉店してしまった。もしや贖宥状の刷り過ぎで、反読書派のルターの怒りを買ったのだろうか。もしそうだとしたら、今でも何枚かの「積読免罪符」を大切に保持していて、自らの改革なき生活に対して少しでも報われていると思い込んでいる堕落した守旧派の私も、他人事ではない。

この右左見堂の最初で最後の広告が載せられたのは、『新奇蹟第九號』（二〇一九年九月）である。この古本屋がそれからすぐなくなってしまったために、その広告は、同人の間では〈幻の広告〉と呼ばれている。右には左耳を折った兎、左には右耳を折った兎、二匹の兎が並んだ、これがまた素敵な意匠なのである。（広告のデザインは、『新奇蹟』におけるすべての装幀および出版を請け負って下さっていた、京都在住のデザイナー中島志朗氏。私が京都にいた頃の旧知。この頃また電話をして、お互いの貧乏談議に花を咲かせた。中島さんは、この仕事をほとんど赤字でやってくれたのである。東西問わず、売れない表現者は、苦しい。いつか恩返ししたいのだが、それがいつになるか。今後の創作についても相談したのであるが、そんな話も、ひとまず、ここまで。）

そして私がはじめて「書肆」という語彙を意識したというのが、この巻末広告においてであったのである。

その青色単色刷りの広告には、右手に「・高價買取・廉價販売・藏書整理・探求書捜索　御本のことなら何でも御相談下さい」とあり、左手には「絶版書・初版本」あるいは「日本近代文學」「翻譯小説」というような言葉が旧字体で並べられ、その真ん中に堂々と「古書肆　右左見堂」と置かれているのであるが、その「古書肆」という文字がこの広告を通して見たときには、私にはまるで稀少な文字を発見したようにさえ思ったのであった。そのくらいこの言葉は広告デザインの印象とも相まって、特別な古風を放っていた。もちろん、その文字をはじめてここで知ったわけではない。それまでも度々見かけたことはあったが、気にせずに読み流していた。珍しい外国文学などを翻訳している出版社や、怪奇幻想系のジャンルが得意な本屋などには、この「書肆」という言葉が用いられていたような気がする。

この「肆」という漢字は、大数字の「壱、弐、参」の「肆」ともなる字である。毎度お馴染みの漢字辞典でその字義を調べてみると、多くの意味を持つ文字であるが、〈ほしいまま〉そして〈つらねる〉、というこの二つが、主なところのようである。そもそも〈いちくら〉とも読むから「店」という意味があって、茶肆で茶店、魚肆で魚屋となり、恣意に書物を陳列するお店——言うなればそれが〈書肆〉となる。

そんな右左見堂の、閉店間近。こんな思い出がある。

私はその日、同人のN氏と共に、店仕舞いする右左見堂店主をご挨拶に訪った。

店内の古本は、閉店のために全てが半値になっていた。私はその値札を出来るだけ見ないように努めた。なぜならばその時の私は、輪をかけて困窮をしていた時期だったからである。

店主と談笑し、やはり店主の方も、閉店に際しては経済的な理由があるらしく、そんな話もしたあと、私は名残惜しく店内を一周した。その惜別の周遊が良くなかった。

忘れもしない。狭い通路に面した鉄製の本棚の、最上段である。ほとんどが売れて空き棚になりはじめてきていたので、その紙のカタマリは、まるで孤立していた。それが白色の細いビニールテープでひと結びにされていたために、さながら氷柱であった。それがおそらくすぐになくなってしまうだろうという点でも。

筑摩書房刊の文庫版『太宰治全集』全十巻。それが綺麗に雪曇《ゆきぐもり》したグラシン紙に覆われて並んでいたのである。私はこの全集と、ひたと目が合ってしまったのであった。それが六千円の半額で、三千円であった。三千円――。安いと思う。状態も非常に良い。美品である。しかし今の自分には、余りにも高い。

私は買わないつもりで、一応、財布の中を見た。寂しいわが紙入れには、どうやら千円札が数枚――その風景を、視界を、写真のように今でも鮮明に覚えている。二つ折り財布の札入れの部分に、皺だらけの千円札が、一枚は重なって、もう一枚ははみ出るようにひらひらと皺み、はじめ二枚かと思ったら、三枚あり、果たしてもっとないかしら指で擦ってみたが、それ以上は増えなかった。秋風が吹くとは、比喩ではなくて、ああいうときのほんとうの心持ちを率直に伝える表現だと思う。

いくら目を逸らしても、その薄茶色に透かされた雪色の煉瓦のかたまりは、執拗にこちらの目を覗き込んできた。――やんぬる哉。逡巡むなしく、とうとう私は決断した。

竹馬の友――というよりは競馬の友である同人のN氏にも、「おい、無理しない方がいいぜ」と、そんな風な事を言われたように思う。なぜならばここに来る墨田の道すがら、ちょうど苦しい生活の話をしてきたばかりであったのである。

私はこの日、生まれてはじめて、文庫版ではあるが十巻以上の個人全集というものを買ったのであった。

万単位の文字を手に入れた引き換えに、皮肉にも一文なしになった私は、その日曳舟駅で同人のN氏に昼飯を奢ってもらった思い出がある。家までは、無事に帰れたらしい。

その日買った太宰全集は、綺麗なグラシン紙そのままに、今も自分の部屋の本棚にしれっと並んでいる。今でもたまに目が合う。そのたびに私は財布の中が気になる。

その頃とも、ちっとも変わらない。むしろ昨今の状況もあって、よりきびしく、もろもろ資金不足のために生活もままならない私は、『新奇蹟』としても出店し有難い資金を得ていた東京文学見本市にこの『猫橋』を出店することにした。そもそも出版のお方も、その生活のことを心配して、声をかけて下さったのである。だから少しでも手売りすることで、期待に応えなければと思う。何より、自分がいちばんそれで助かる。そこではだいぶ売れ残った『新奇蹟』も並べてみるつもりである。

しかし申し込んだはいいが、その出店名を考えなければならなくなった。そこで私が考案した店名こそ、「書肆カッツェンステッヒ」である。もちろんこの「書肆」は、今はなき思い出の古本屋「古書肆右左見堂」さまから拝借したものである。

この雑誌『猫橋』は、性質上どうしても『新奇蹟』のその意志や関係性をほんの少しは引き継いでいるらしい。そこで得た繋がりや、取引相手や、忘れ得ぬ表現の人びと。失敗や貧乏も含める、幾多のものがたり。あるいはささやかな、活動の軌跡。それらちいさな挿話たち。

このような貧しい散文的表現が、どうやら私の嗜好らしい。その時代おくれを地で行くことの意義に賭けていた一風変わった同人雑誌ではあったが、そのいくらかに見せたいと思[illegible]う昔ながらのちいさな物書きの横顔こそ、今こそもっとも志向するべき類のものとして、ひそかに思い続けてきた類のものである。そしておそらくこれからも、固執していくものである。このような事を、不格好でもやり続けたいと思う。笑われようとも、もう、どうでも良い。というよりは、こういう事は、例えば話法におけるものがたりの成り立ちや、枕や小噺の発生事情とも、ある意味近しいとも思うのである。笑われたいのかもしれない。

この『猫橋』においても、活動自体から生まれるちいさな日々のやりとりを、かいつまんでみて、結びなおしてみて、描出してみたいと思う。それも無名。せいぜい百部ちょっとの小冊子を印刷する力しかない。それだからそのようなもの——と、思われるかもしれない。けれどもそれこそが私にとっての〈絵のない絵本〉のようなものであって、この本は消えやすい会話や残りづらい言葉でできあがっているので実在すらしないものの、どうやら私のいちばんの愛読書ということになっているのである。（それが何なのかと訊かれたら、また自分好みであるという他にはいいわけはできないのですが。）

『新奇蹟　第九號』巻末の、一枚の〈幻の広告〉――うすまりながら消えていく夜空いっぱいにかすれたその一枚の青い展望を見るたびに、私は私を覗き込むような視線と郷愁とを感じる。「ある日のことです！　わたしはある古本屋を見ました！」――そんな調子で、誰かにお話したくなる。

あるいは新しい思い出も待っているらしい。同じく貧しい性質のものであるとは思うけれども。この連載では、そんなことを書いていきたい。それがもうひとつの趣向である。

猫橋周辺に通うことになってからも、もうすでに幾つもの出来事があり、ここにも多くの情景が行き交っているのですが、ひとまず、今回はこの辺りにて。

○ひとまず

例えば、「ねこばし書林」とか、「ネコバシ書房」とか、「C・B・B（キャッツ・ブリッジ・ブックス）」でも良かったのである、私はちょいと斜に構えてみたかったらしい。ドイツ文学の趣味を、ちらつかせてみたかったらしい。しかし少なくとも、「猫橋簡易直売所」だとか、「売れ残りの同人誌及び売れ行き不安の共同編集誌売ります」というような看板よりは良かったと思われる。

より発音に近いだろう「カッツェンシュテーク」としなかったのは、少し間が抜けているような気がしたからで、ここでは田山花袋氏の方を採用した。その方が、かえって可愛らしいと思ったからである。語感も字面もいい。果たしてこれは何の売り場なのだろうという、不思議な宣伝効果が作用することも期待している。

今年の五月十六日に、初出店予定である。

しかしこの最中なので、開催自体どうなるかわからない。もし開催される場合にも、しっかりと感染対策をしたうえで出店したいと思う。店番は、ひまな噺家に低賃金で頼むことにした。彼も生活難だから、こんな話でも飛びつくと思う。

そして何より、赤字にはならないようにしたい。売文とは哀しい哉。しかし生きていくためには、みな必死である。自分が例外であるわけはない。発行元を糾弾されたらしい積読免罪符は、どうやらもう効き目がない。

「連載　書肆カッツェンステッヒ」というのは、つまりはその名を冠した連載であるので、この雑誌の売れ行きや評判（得られるのかは不明）なども、毎回報告としてここにまとめておかなければと思う。いわばこの連載は、『猫橋』出版部の会報みたいな一面もある。

雑誌には連載が〈憑き物〉であると思う。

同人誌『新奇蹟』の頃には、発起人の責任も気負って、私は多くの連載を持った。もともと大正期の同人誌『奇蹟』の意志を継ぐというところから始まったから、その敬意としての『奇蹟』同人や同時代文学を取り上げたもの。あるいは詩の随想のようなもの。その他にも様々な文章を毎号かけもちで書いた。その結果、ネタが尽き、迷惑をかけることもあった。

三ヵ月毎の発行であったこの同人誌と比べると、この雑誌は一年に一度であるからそれほど重荷になるとは思わないが（事情の為、重荷になってとても困る）、そういう恨めしい反省もしているので、私はネタを温めるためにも、まず今回は「ひとまず」を頻出させて、連載内容を小出しにしているというわけである。

そんなことを言うと、元帳を見られている気がするが、そもそもまだ何も書かれていないので、差し支えもない。

それでも今回から連載をはじめるからには、全体の内容と指針みたいなものは、やはりしっかりと決めておきたく思う。

趣味であるドイツ文学の事と、人知れず私淑し続けてきた詩人の事。その拙い研究。そしてかつての同人誌活動の雨後の繁茂と、現状と現実。それら混ざり合わないものに対する、生活感情と工夫、挿話、そして滑稽、あくせく[illegible]上げ報告書及び編集室だより（文学的に改竄されているかも知れない）――今のところ、大体そんな風に言っておきたく思います。

つまりは上空から様子を窺うようにして、何でも書けるようにしておいて、今後困ることのないようにしておこうという算段です。

これが古い翻訳文学の精読評になるのか、はたまた手売りの苦労譚になるのか、わかりませんが、通巻十冊になる頃には、それなりの読み物になっていることを期待いたしまして、今回はひとまずこの辺りで。今後とも一年ごとに名もなき桟橋の袂に猫のようにちらと顔を出すこの気まぐれな移動式書店に、どうぞお付き合いを願いませ。

あとがき

今回は、『猫橋　I』ということで、晴れて雲間に、創刊号となりました。

そしてこの「あとがき」まで齋藤／林家を分けようというような真面目さも神経質さも、自分にはありません。序文でも書きましたが、これは本職と内職とが混じらないように出版社が気遣って下さった結果の、表面上の配慮です。考えすぎるとちょっと危ないので、分裂病が起こらないよう気をつけたいと思います（もう、起こりつつありますので、こうして自分自身を洒落て気儘に、あしらっております）。

お読み下さいます皆様も、どうぞお察し頂きまして、すべて〈あそび心〉でお読み流し下されば幸いです。——（もちろんその心は、鳥渡《ちょっと》本気なのですが。自分における、あるいは現況全般における、何かに抗した表現として。ただそれは単行する渡り鳥の矜持程。実ハ無事に大陸に着地できるという望みも今や薄い。）

それでも、表現自体が愉しいので、わたしはこの雑誌が、ある意味その自他の環境を匿った、ひとつの野花のようにかわいらしくも思います。

このところ、鎌倉のあるお友達（というよりも、人生の先輩）の山荘に泊まりにいく事が多く、そこでそのお方に昔のレコードを、島倉千代子や藤圭子やキャロル・キングやウラディミール・ホロヴィッツを聞かせてもらっているのですが、このあいだそのお方が、今日はこれを聞かせてやろうと針を落としたレコードが、〈ろうそくが消えるまで〉と副題された、カルメン・マキの代表作「真夜中詩集」でした。わりと以前から聞き慣れていた唄ではありましたが、その中の一節――「野に咲く花の名前は知らない／だけども野に咲く花がすき」（寺山修司作詞）

われに五月を――とまでは大胆に抒情できる年齢ではもうありませんが、それでも五月は、好きな季節です。毎年五月に、このささやかな雑誌がささやかに刊行されることを、ひとつのたのしみにしております。初夏。さて、いよいよこれから。つねにそんな爽やかな心持ちで。たとえかわいらしい少部数出版でも。あるいは渡り鳥でも、野花でも、都会の溝渠を渡す歩み板でも、事々物々問わず、どうやら無名には無名だからこその好さはあるようです。今宵もまたその日暮らしの、飼い猫にはなれなかった猫たちにも。

このようなノラの表現者を保護して下さいました猫橋編集局の皆様には、ここで改めて感謝申し上げます。またお買い上げ下さいました皆様、ほんとうに有難う存じます。情けないのですがずっと苦しい生活で、これだけが頼りという状況なのです。この猫橋なる石橋を叩く金槌さえなく――ほんとうは持っているのですが、それが磨り減るのが勿体ないので隣家に拝借しに通っているという――そんな具合の吝嗇なのです。ろうそくどころか爪に火を灯しているのです。人生いろいろとは申しますが、どう咲きゃいいのさという具合なのです。

どうぞ今後ともお助け下さいませ。宜しくお願いいたします。

それでもいつかこんな生活や活動を振り返ってみた日には、それが全体の紋様や楽章の一部分として、縫い込まれ、あるいは符号され、それら縦糸や黒鍵こそこの雑誌が担えるようにと思い、枝

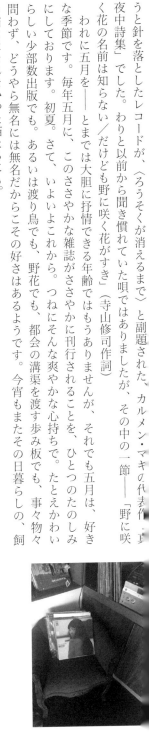

葉末節の創作とは思わずに季節の歩調と合わせて夏支度をするような青葉若葉の言葉たちを出来るだけ鬱蒼と繁らせてみたく思います。(枝鋏や登山靴の入らない、やはりまだまだ無名の山林らしく。)

とは言っても、自分がその拙い言葉たちで、つづれおりやピアノ・ソナタを完成させるには、まだまだ途方もない時間がかかりそうではございますが。

こういう諧謔癖も、お許し下さいませ。

編集後記

齋藤圭介さんと出会ったのは、ココシバさんでの朗読会でした。

その日、自作の散文をご自身で朗読していただくという機会があり、私は初めてその世界観と文章表現を体感しました。深くを味わう感性とそれらをふくんだ表現の素晴らしさ。

その後、過去の作品をいくつか拝読し、その才能の素晴らしさをあらためて認識しました。と、同時に、齋藤圭介さんは居心地が悪そうで、また、哀しんでいるように感じられたのです。同じく、林家彦三さんも。

落語家として、まだ二ツ目が始まったばかりという状況もあり、どのようにして自分の個性を出しつつ歩んで行くのか。迷いながらも努力しておられるお姿に私が一番恐れたのは、「この人は、このままでは壊れてしまうかもしれない」。何かしらのよい共生方法を考えなければ。そして、この才能を皆さまにも味わっていただけるような形にできたら。

ぶなのもりさまのご理解とご協力を賜り、また、ココシバの皆さまからのあたたかいご支援やアドバイスのおかげで、今回、『猫橋』を出版する事が叶いました。

この『猫橋』が、齋藤圭介さんと林家彦三さんの架け橋になれば。そして、これまで齋藤圭介さんと林家彦三さんを応援し、支えてきてくださった皆さまとのさらなるよき架け橋に。

また、ご両親と、ふるさとである小野町へ。心より御礼を申し上げます。

そんな『猫橋』ではありますが、本日、めでたく創刊となりました。何とぞ末永くごひいきを賜りますよう、お願い申し上げます。

なみ

彦星という前座名の落語家さんが「林家彦三」というちょっと大人っぽい名前の二ツ目になった。新型コロナウイルス感染症により最初の緊急事態宣言が発動されたそのさなかのことだった。

高座の機会はおそらく極端に減り、小さな集まりも開きづらくなっていた２０２０年。文学好きで、自分でも書くことを専らにし、文芸落語などという小難しいジャンルに取り組んでいるこの「間の悪い」若手落語家が、これから十年何をして、どうなっていくのか、ちょっとだけ興味があった。

「猫橋」というのはは川口市芝にある橋というには少々心もとない橋の名前である。小さな欄干ぽいものはあり、その地の交差点名にもなっているが、地下にでも潜っているのだろうか、そこに水は見えない。

見えないものを読みとるのは好きだ。水は流れているのか、どこから来てどこへ向かうのか、澄んでいるか淀んでいるか、生きものはいるか、好きに想像していいし、間違っていても何の問題もない。

正直、齋藤圭介という人物については、実はまだよくわからない。私が出版業の傍ら友人らと営んでいるブックカフェ「ココシバ」の客であり、そこで開かれる読書会の座長を引き受けてくださったありがたい人物だ。その文学通ぶりは月一回開かれるこの読書会で、他の客も知るところとなったが、どうやら自分でも文章を書くらしいということで、今回の発行の運びとなった。

手にとってくださった皆さまが銘々に、この「猫橋」の下を流れる水のきらめきを見出してくだされば幸いです。

O

猫橋　I

二〇二一年五月一六日　初版第一刷発行

著者　齋藤圭介・林家彦三

発行　ぶなのもり
〒三三三–〇八五二　埼玉県川口市芝樋ノ爪一–六–五七
電話　〇四八（四八三）五二一〇
FAX　〇四八（四八三）五二一一
振替　一一〇七〇–二–六六八〇四八

ISBN　九七八–四–九〇七八七三–〇七–三